S.O.S. Dolfijnen

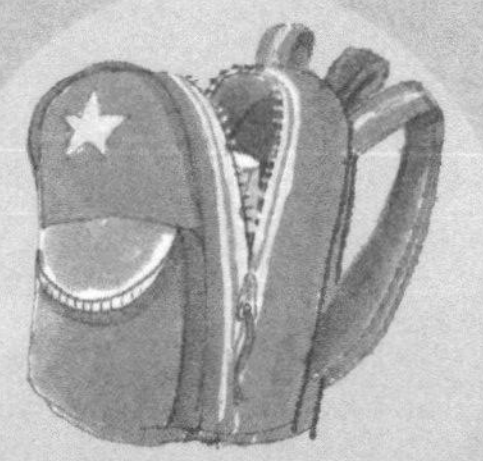

RUGZAKAVONTUUR

Sneeuwstorm – Greet Beukenkamp
Verdwaald op zee – Haye van der Heyden
Mooi niks! – Marjon Hoffman
Kidnep – Karen van Holst Pellekaan
Het mysterie van de gevleugelde leeuw – Rindert Kromhout
Gered door de honden – Hans Kuyper
Rampenkamp – Mirjam Oldenhave
Wraak van de stier – Anna van Praag
Gevaarlijke foto's – Ruben Prins
Smokkelkind – Lydia Rood
Zoektocht door de nacht – Niels Rood
S.O.S. dolfijnen – Niels Rood
Schim in het bos – Maren Stoffels
Herrie in de huttenclub – Harmen van Straaten
Overboord! – Harmen van Straaten
De pizza-spion – Anna Woltz

Doe mee met de fotowedstrijd!
www.rugzakavontuur.nl

Niels Rood

S.O.S. Dolfijnen

Tekeningen van Els van Egeraat

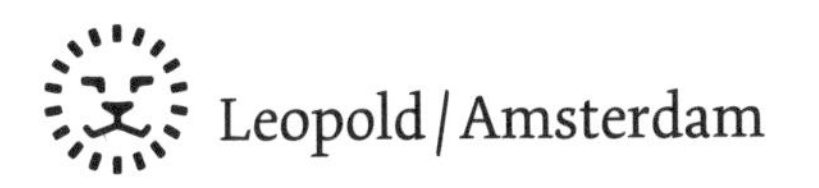

Leopold / Amsterdam

Voor Dutch, Annabelle, Jill en Zenzi
en voor Teresa, Kayena, Chabelita en Copan

www.dolphin-academy.com

Eerste druk 2009

Omslag en illustraties: Els van Egeraat
Omslagontwerp: Rob Galema
Uitgeverij Leopold, Amsterdam / www.leopold.nl
ISBN 978 90 258 5523 9 / NUR 282/283

Mixed Sources
Productgroep uit goed beheerde bossen en andere gecontroleerde bronnen.
www.fsc.org Cert no. CU-COC-803902
© 1996 Forest Stewardship Council

Uitgeverij Leopold drukt haar boeken op papier met het FSC-keurmerk. Zo helpen we waardevolle oerbossen te behouden.

Inhoud

De landing

Martje probeerde zich niet te veel aan te trekken van het heftige geschud van het vliegtuig. Ze bladerde door een tijdschrift over Curaçao. Dat had ze gevonden tussen de zak om in te spugen en de plattegrond van de nooduitgangen. Vliegen was spannend, maar er zaten ook nadelen aan.

'Hoe lang is het nog?' vroeg ze aan haar zus Roos, die onophoudelijk naar het scherm boven hen zat te staren. Daar stonden de tijd en de afstand naar Curaçao op.

'Nog twee uur,' zei Roos.

Martje wilde zuchten, maar hield ineens haar adem in. Haar oog was gevallen op een advertentie. Een foto van een vrolijke dolfijn trok haar aandacht.

'Kijk hier!' wees ze Roos aan.

'Jaha,' zei Roos verveeld. 'Je lievelingsdieren.'

'Dat bedoel ik niet. Je kunt met ze zwemmen! Mam?'

Met blad en al boog ze naar Iris. Die zat aan de andere kant van het gangpad. Handje in handje met haar vriend, John.

Martje haatte dat. Het hele vliegtuig kon het zien en volwassenen deden zoiets niet. Behalve haar moeder.

'Hé, gaat-ie lekker!' riep Roos.

Martje lag helemaal over haar heen. Ze ging rechtop zitten, klikte haar riem los en schuifelde voor Roos langs naar het gangpad.

'Wat is er, schat?' vroeg Iris.

'Kijk, die advertentie,' zei Martje. 'Je kunt zwemmen met dolfijnen!'

Op de een of andere manier klonk haar stem anders dan normaal. Misschien omdat haar oren dichtzaten?

'Als het maar geen geld kost,' zei John.

Wat een stomme opmerking. Alsof Iris zelf geen geld verdiende. Waar bemoeide hij zich mee?

'Zwemmen met dolfijnen,' las Iris voor. 'Geniet van de zeldzame mogelijkheid om samen met onze dolfijnen door het water te glijden in hun natuurlijke omgeving. Ervaar de betovering...'

'Wat kost dat?' onderbrak John haar.

'Wat ben jij ineens met geld bezig?' vroeg Iris.

John kwam half overeind om in het tijdschrift te kijken.

'O,' zei hij. 'Dat valt me nog mee. In Tel Aviv was het veel duurder.'

Martje keek haar moeder smekend aan. Dit móést ze meemaken. Al werd ze de hele week op droog brood en water gezet.

'Jullie zijn natuurlijk wel meteen met zijn drieën,' zei Iris.

Dat was waar. Jim, de jongste zoon van John, zat het gesprek met grote ogen te volgen in de stoel naast John. Hij en Roos zouden ook mee willen.

'Als ik het van mijn zakgeld terugbetaal?' probeerde ze.

'Het gaat niet alleen om het geld,' zei Iris. 'Het is meer dat we niet alles zomaar goed kunnen vinden.'

Het vliegtuig begon ineens nog harder te schudden. Het lampje met het teken van de stoelriemen ging branden. Martje wurmde zich snel voor Roos langs naar haar stoel.

'Maar dit is niet zomaar alles, mam,' zei ze zodra ze zat. 'Dolfijnen zijn zulke lieve dieren! Stel je voor dat je daarmee in het water kunt liggen!'

'We hebben het er nog wel over,' zei Iris.

Martje wilde heftig protesteren, maar Roos hield haar tegen. Haar jongere zus gaf haar zelfs een knipoog. Misschien had Roos gelijk en kwam het wel goed. Dan kon ze nu beter haar moeder en John niet ergeren.

Martje las de advertentie opnieuw en opnieuw. Ze kon hem nu woord voor woord opzeggen. Het artikel dat erbij hoorde kende ze ook uit haar hoofd.

Tussendoor deed ze haar ogen dicht. Ze stelde zich voor hoe ze samen met een dolfijn door het water gleed. Soepel, zonder nadenken, zonder zorgen.

Ze kreeg er een kriebel van in haar buik. En die was wel honderd keer erger dan de buikkriebel van haar verjaardag. Terwijl ze toen haar nieuwe omafiets kreeg.

De piloot had de landing ingezet. Het lampje *stoelriemen vast* brandde en niemand mocht meer lopen.

'Moet je overgeven, schat?' vroeg Iris bezorgd.

'Nee, mam,' zei Martje.

Haar moeder begreep haar soms niet. Martje was alleen maar zenuwachtig voor de landing.

'Je ziet krijtwit,' zei John.

'Wacht maar tot na de vakantie,' zei Jim. 'Dan zijn we poepiebruin.'

Martje glimlachte naar hem. Zijn blonde haar was pluiziger dan ooit. Vlug keek ze weer naar buiten.

De landingsbaan kwam nu snel dichterbij. Maar het vliegtuig zwabberde vreselijk. De ene keer wees de rechtervleugel naar beneden, een ogenblik later de linker. Was de piloot dronken of zo?

Met moeite stuurde Martje haar ogen richting haar moeder. Die knikte geruststellend. John leek nergens mee te zitten.

Toen het vliegtuig de grond raakte, hing de vleugel onder haar nog steeds scheef. Martje slikte. Ging dit goed? Toen voelde ze hoe ook het andere wiel de grond raakte. Onmiddellijk begon het vliegtuig hard te remmen.

'Haalt-ie dat?' vroeg ze aan Iris.

'We weten het niet,' zei John. 'Het is de eerste keer dat ze hier landen.'

'Echt waar?'

Het was eruit voor ze het wist. Ze kon haar tong wel afbijten.

John moest natuurlijk weer grappig doen.

'Vandaag wel,' zei hij en lachte keihard om zijn eigen grapje.

Even later liepen ze door de slurf naar het luchthavengebouw. Het was er warm. Toen ze moesten wachten bij de paspoortcontrole, stopte Martje haar vestje in haar rugzak.

'Waarom zijn al die mensen van de controle hier bruin?' vroeg Jim.

Martje grinnikte.

'Dit is Curaçao,' zei John. 'De voorvaderen van de zwarte mensen die hier nu wonen, waren slaven. Ze kwamen uit Afrika. Ze moesten in Noord- en Zuid-Amerika suikerriet verbouwen, en bananen en koffie. Er was een hele handel in.'

'Lekker dan,' zei Jim.

'En het is nog erger. De Afrikanen die de slaven verkochten, kregen er Europese wapens en ijzer voor terug. De slaven werden in schepen gepropt en hierheen gevoerd. De helft overleefde de reis niet.'

'Deed Nederland daaraan mee?' vroeg Roos vol ongeloof.

John knikte.

'Curaçao was in bezit genomen door een Nederlands bedrijf. Hier was de grond niet zo geschikt voor plantages. Maar de slaven konden er op krachten komen na de oversteek. Daarna werden ze doorgestuurd naar Zuid-Amerika, waar ze werden verkocht.'

John dacht even na.

Soms is hij net de meester, dacht Martje. Die moet ook altijd alles vertellen wat hij weet.

En ja hoor. Ze glimlachte.

'De Engelsen en Spanjaarden vervoerden nog veel meer slaven,' zei John. In totaal zijn er meer dan tien miljoen mensen uit Afrika naar deze kant van de wereld gevoerd.'

'Deden de Afrikanen daar niks aan?' vroeg Martje.

John zuchtte.

'Afrikanen hebben in die eeuwen ook een miljoen Europeanen tot slaaf gemaakt. Piraten enterden een schip en namen de bemanning gevangen. Die verkochten ze in Afrika. Het waren niet zulke gezellige tijden, toen.'

Roos giechelde.

Maar Martje luisterde niet meer naar John. Ze kon alleen nog maar aan de dolfijnen denken.

'Mam?' probeerde ze.

Iris keek naar John.

'Wat is er, schat,' vroeg hij afwezig.

'Dat zwemmen met dolfijnen?'

'Is dat niet zielig voor die beestjes?' vroeg John.

'Ze zwemmen vrij rond! Ze zouden zo weg kunnen! Ze hoeven niets!'

Martje had het allemaal gelezen in het artikel.

'Hmm,' zei John. 'Dan is het alleen zielig voor mij en Iris. Wij moeten verschrikkelijk hard werken om al jullie dure wensen te vervullen. Ook best erg. Maar vooruit.'

Martje wilde een juichkreet uitstoten. Maar ze hield zich in tussen al die mensen in de aankomsthal.

Roos stond met haar hand omhoog en na de *high five* gloeide haar hand nog lang na.

Bon Bini

Het was heerlijk warm buiten, ook al waaide het hard en was het bewolkt. In de huurauto was het koeler: de airco stond aan. Iris had een radiostation uitgezocht, waar ze bekende hits draaiden. Er was een Nederlandse dj en ze hadden net zulke melige telefoongesprekken als thuis.

Martje keek haar ogen uit. Alle huizen waren hier in vrolijke kleuren geverfd. Of het nou statige kantoren waren of armoedige huisjes. Overal waren palmbomen met kokosnoten erin. Ze stootte Jim aan als ze felgekleurde vogeltjes zag.

Toen ze voor een stoplicht stonden, ontdekte Roos een grote leguaan in een tuin.

'Stil eens!' zei Martje.

John en Iris praatten gewoon door. Dat deden ze altijd.

'Stil nou!'

Iris had zich al omgedraaid om haar een uitbrander te geven.

'Dat programma gaat over de Dolphin Academy,' zei Martje ongeduldig.

Nu werd Iris nieuwsgierig. Ze zakte terug in haar stoel en zette de radio harder.

Er was een prijsvraag over de dolfijnen van de Dolphin Academy. Natuurlijk moest John erdoorheen praten.

'Ssst!' zei Jim. 'De vraag!'

Gelukkig herhaalden ze de vraag nog een keer. *Hoe weten dolfijnen onder water waar ze heen moeten?*

Martje wist het antwoord.

'Ze hebben zo'n sonar,' zei ze. 'Net als vleermuizen. Zullen we dat opsturen?'

'Yes!' riep Roos. 'Dan komen we misschien op de radio!'

'Waar is dat nou weer goed voor,' zei Iris.

Ze draaide de radio uit.

John reed een weggetje in en stopte voor een slagboom. Ze waren er.

'Je kunt een prijs winnen,' zei Martje.

Zodra John en Iris de auto uit waren kroop ze voorin en deed de radio weer aan. Ze was net op tijd om het adres te horen.

Ze bleef het voor zichzelf herhalen tot ze een pen en papiertje had gevonden. Toen schreef ze het snel op en propte het papiertje in haar zak. Pas daarna ging ze het huisje bekijken.

Het huisje bleek een huis met twee badkamers. Martje en Roos hadden een groot tweepersoons bed en Jim een eenpersoons. De slaapkamers hadden airco en zelfs televisie, met Nickelodeon en een zender die programma's uit Nederland herhaalde.

Er was een supergrote veranda.

De zon was onder de wolken gezakt. Nog even en ze zouden hem in de zee kunnen zien ondergaan.

Martje had opnieuw het gevoel dat ze kon juichen. Toen Iris langsliep, gaf ze haar een klapzoen op de wang.

'Het wordt vast een topweek,' zei Iris.

Martje knikte. Nu ze met de dolfijnen het water in mocht, kon er voor haar niks meer misgaan.

Toen hoorde ze in de verte Jim brullen. Hij had zeker het zwembad ontdekt. Was Roos daar ook heen?

Ze pakte haar handdoek. Ze had wel zin in een duik.

'*Bon Bini!*' riep John haar na.

'Wat betekent dat eigenlijk?' riep Martje terug toen ze zich had omgedraaid. Het vakantiepark heette ook zo. *Bon Bini Seaside.*

'Welkom,' riep John. 'Kom je snel terug? We willen het strand nog even zien voor het donker wordt.'

'Ja!' riep Martje terwijl ze verder liep. Het zou zeker een topweek worden, dat kon niet anders.

Jim lag al in het water, maar Roos was er niet. Er lagen wel twee jongens bij het zwembad. Ze waren ouder dan Martje. Ze hadden zonnebrillen op en kauwden op kauwgom.

Ze zeiden niks terug toen Martje groette, maar ze kreeg het gevoel dat ze van top tot teen bekeken werd.

Gauw rende ze naar de rand van het zwembad en plonsde erin. Jim dook onmiddellijk onder en greep haar enkel. Ze rukte zich los en ging achter zijn been aan. Met haar kleine reservebroertje was het altijd lachen. Zo noemde ze hem, reservebroertje. Omdat ze stiefbroertje zo'n rotwoord vond.

Het duurde lang voor ze hem te pakken had, maar toen ze hem had, trok ze hem hard naar beneden.

Na een tijdje klommen ze het zwembad uit. De jongens waren weg, maar hadden hun spullen laten liggen.

Onder water

De volgende morgen was het zover. Martje had al vanaf een uur of vier liggen woelen. Het dolfijnencentrum bleek vlak bij hun huis te liggen. Ze hoefde de straat maar over en dan nog wat naar links te lopen.

Ze was zenuwachtig geweest, maar nu ze een felgeel armbandje om kreeg, was ze merkwaardig rustig.

Jim deed heel druk maar ze besteedde er geen aandacht aan. Ze wist zeker dat het maar even zou duren.

'Lekker koel is het hier, hè? Met die airco aan,' zei ze tegen Roos.

'Maar wel druk,' vond Roos.

Om hen heen wemelde het van de toeristen.

'Ik ben niet druk,' zei Jim.

Martje lachte.

'Dat zei ze ook helemaal niet.'

'Dan is het goed.'

Martje had nog 'maar je bent het wel' willen zeggen, maar ze hield zich in. Jim kon er slecht tegen als ze dat soort dingen zei.

'Waar moeten we nu heen?' vroeg ze aan Roos.

Die haalde haar schouders op.

'Jullie worden zo wel opgehaald,' zei Iris.

Ze had het nog niet gezegd of er kwam al iemand aan. Een

jonge vrouw in een spijkerbroek stelde zich voor als Zinzi. Handig verzamelde ze iedereen met een geel armbandje.

'De toeschouwers gaan met mijn collega mee,' zei ze.

Martje gaf Iris nog snel een kus en liep met het groepje mee. De zenuwen kwamen weer terug.

Buiten moesten haar ogen wennen aan het felle licht. Er waren betonnen kades in de baai aangelegd. Aan het einde van één ervan liep een trapje het water in.

Beneden stond Martje tot haar middel in het water, op een brede stoep. Vlakbij speelden dolfijnen met elkaar.

'Je mag je handen niet naar voren steken.'

Zinzi legde uit dat dolfijnen instincten hadden, net als alle wilde dieren. Als je je handen naar ze uitstak, zagen ze het als een aanval.

'Misschien krijg je niet meteen een beuk met hun harde snuit, maar als ze schrikken, vinden we dat vervelend,' zei ze.

Ze moesten Zinzi zo goed mogelijk nadoen.

'Je kunt dolfijnen wel een paar trucs leren, maar niet africhten als een hond. Het is dus belangrijk dat iedereen de dingen doet die de dolfijnen verwachten.'

Martje keek naar Jim. Zijn hoofd met het piekerige haar kwam maar net boven de golfjes uit. Toen ze weer voor zich keek, kwam er al een dolfijn naar ze toe gezwommen.

Martje probeerde het dier voorzichtig te aaien. Wat voelde dat zacht!

'Voel je dat!' zei ze tegen Roos.

'Het zachtste wat ik ooit heb gevoeld,' zei Roos.

Dit is het mooiste moment uit mijn leven, dacht Martje.

Ze had zin om weg te zwemmen met de dolfijn, de diepte in. Samen eropuit trekken. Maar ze wist dat ze op de stoep moest blijven staan.

'Wow!' zei Jim. 'Wat is hij groot!'

Hij had gelijk. De dolfijn was minimaal drie keer zo groot als Jim zelf. Maar wat Martje veel meer opviel, waren de ogen. Aan elke kant zat een heel klein maar heel lief oog. Daarmee keek het dier Martje echt aan.

Ze voelde zich gerustgesteld. Het was alsof de dolfijn en zij elkaar al lang kenden, elkaar vertrouwden als vriendinnen.

Even later vroeg Zinzi of ze hun hoofd vlak boven het water wilden houden. Ze kregen een kusje van de dolfijn.

'Die neus is hard, man,' zei Jim.

'Dat heet een snuit,' zei Martje. 'Ze gebruiken hem om te vechten.'

'Met wie vechten ze dan?' vroeg Roos.

Ze keek benauwd.

'Niet met ons,' zei Martje snel. 'Met elkaar. Een beetje stoeien en zo.'

'Ik ga mooi niet met ze stoeien,' zei Jim.

Ze moesten spetteren in het water en de dolfijn deed ze na.

Het was grappig, maar het zoute water prikte in Martjes ogen. Ze wilde de dolfijn liever blijven aaien, eindeloos aaien. En de dolfijn leek dat te begrijpen, want hij bleef vlak voor Martje langs zwemmen. Martje streelde hem, achter zijn vinnen, en bleef maar naar zijn ogen kijken.

'Jij kunt hem ook aaien hoor,' zei ze tegen Roos. 'Daar!'

Roos deed het even, maar hield even snel weer op.

Dan moest ze het zelf maar weten.

'Had ik mijn zwemvliezen maar aan,' zei Martje. 'Ik zou zo graag een eind met ze mee zwemmen.'

'Ik ook,' zei Roos.

'Ik zou wel op hun rug willen zitten,' zei Jim. 'En dan helemaal tot daar door het water sjezen!'

Zinzi had het gehoord.

'Dat kan niet,' zei ze lachend. 'Ze kunnen wel een *foot push* geven.'

'Een wat?' vroeg Jim.

'Een *foot push*. Dan duwt hij je met zijn snuit onder je voeten vooruit. Je hoeft je alleen maar recht te houden, dan doet hij de rest.'

'Mag ik dat proberen?' vroeg Jim.

Zinzi schudde haar hoofd.

'Dat leer je alleen als je onze cursus van een week doet.'

'Cursus?' vroeg Martje.

Heel even richtte ze haar aandacht op Zinzi in plaats van de dolfijn.

Zinzi knikte.

'Junior dolfijnentrainer. In niveau 2 zit die *foot push*. Dat is de tweede helft van de week. Je kunt ook alleen niveau 1 doen. Dat duurt twee dagen.'

Martje zocht weer contact met de dolfijn.

Wat zou dat gaaf zijn, als ze die cursus kon doen. Maar er was geen denken aan. Het zou nooit mogen. Dat hoefde ze niet eens te vragen, dat kon ze zelf wel verzinnen.

Geritsel in de nacht

Toen Martje wakker werd wist ze even niet waar ze was. Het was aardedonker in de kamer en het was fris. Toen schoot haar te binnen dat de airco aanstond en wist ze waar ze was.

Ze lag even op haar rug, met haar ogen wijd open. Ze hoorde Roos zuchten en tandenknarsen. Hoe laat zou het zijn?

Thuis had ze haar wekker, hier alleen haar mobiel. Maar die was uit. Bovendien had ze geen idee of ze er zes uur zou moeten optellen of juist aftrekken.

Ze stapte uit bed en schuifelde voorzichtig naar haar deur. Ergens moest haar koffer op de grond liggen. Ze had geen zin om te struikelen.

Jim en Roos lagen heerlijk te slapen en dat moest zo blijven. Als je wakker werd, was je ook meteen klaarwakker, door het tijdverschil. Ze haalde een hand door haar lange donkerblonde haar, maar bleef direct steken. Het was een grote klit.

John had zijn horloge op de bar gelegd, zoals hij had beloofd. Dat viel haar mee, hij kon zoiets ook makkelijk vergeten. Het was drie uur.

Martje zuchtte. Ze wist zeker dat ze niet meer kon slapen. En ze had honger, ze wilde ontbijt. Ze zocht een lichtknopje en deed de lamp boven de bar aan. Daarna deed ze de grote ventilator aan die aan het plafond hing. Het was warm in de kamer, want daar was geen airco.

'Martje?'

Ze schrok zich helemaal wezenloos.

Achter haar stond Jim, in het T-shirt van zijn moeder waarin hij altijd sliep. Het kwam bijna tot aan zijn knieën. Zijn haar stak alle kanten op.

Ze vond crackertjes die ze besmeerde met pindakaas. Met suiker kon ze ze nog lekkerder maken, maar die was nergens te vinden.

Ze maakte limonade en samen gingen ze op de veranda zitten, waar het heerlijk warm was.

Jim babbelde honderduit en helemaal niet zachtjes. Voor zijn gevoel was het natuurlijk al ver in de ochtend, al was het aardedonker.

Hij had het over verschillende krachten van een of andere set kaarten die hij verzamelde. Martje mompelde wel 'ja' en 'hm-mm', maar ze luisterde nauwelijks.

Plotseling keek ze op. Er ritselde iets in de grote struik recht tegenover de veranda. Was het een dier? Dan moest het wel een heel groot dier zijn.

Met een handgebaar beduidde ze Jim dat hij stil moest zijn. Even hoorde ze alleen het gebonk van haar eigen hart.

Jim maakte een piepend geluidje. Ze keek woedend naar hem, maar toen zag ze dat hij bijna moest huilen.

Ze pakte zijn hand. Dat had ze nog nooit gedaan, het voelde onwennig. Maar hij mocht niet gaan huilen. Niet nu.

Opnieuw geritsel.

Jim moest naar binnen! Ze stond op. De stoel schoof knarsend over de tegels naar achteren. In de stille nacht klonk het nog harder.

Heel even bleef ze staan, maar ze hoorde niks. Snel trok ze

Jim mee, de woonkamer in. Ze deed de ventilator en het licht uit, en de gordijnen dicht.

'Blijf zitten daar,' siste ze naar Jim.

Die pakte zijn stapel kaarten.

Ze sloop de veranda op en sloot de deur achter zich. Niet op slot, want ze wilde snel naar binnen kunnen glippen.

Ze tuurde in de heg. Er bewoog niets meer.

Maar ze zou durven zweren dat ze gefluister hoorde.

Nog heel even bleef ze staan kijken. Toen er opnieuw iets ritselde, durfde ze niet meer.

Ze draaide zich om en opende razendsnel de deur. Ze wilde naar binnen, naar de slaapkamer van John en haar moeder.

Zou John een zaklamp hebben? Zouden ze haar geloven?

Met één voet al in de kamer, hoorde ze iets vreemds achter zich.

Het klonk als gedempt gegiechel. Even was het weer stil, maar toen kwam het terug. Het was duidelijk gegiechel.

Haar angst sloeg om in woede. Ze bedacht dat ze alleen een slipje en een topje aanhad, maar ze kon er niet mee zitten.

In een paar stappen was ze het trapje van de veranda af en stond ze met haar blote voeten in het gras.

Het voelde stug, anders dan Nederlands gras. Een hagedisje schoot weg. Ze trok zich er niets van aan en liep naar de grote bloemenstruik.

Ergens links van haar begon iets heftig te knarsen en direct daarna te sissen. Voor de tweede keer in korte tijd schrok ze hevig. Ze bleef stokstijf staan.

Een ogenblik later dacht ze dat het begon te motregenen. Droomde ze, of wat was er aan de hand? Ze werd steeds natter.

Precies op het moment dat ze bedacht dat het een sproei-installatie was, hoorde ze vanuit de struiken een paar jongens hard lachen.

Toen zag ze ze eindelijk. Half gebukt renden ze weg in de donkere nacht. Jongens! Ouder dan zij, waarschijnlijk dertien, veertien.

Ze liep terug naar de veranda, ging de huiskamer in en plofte naast Jim op de bank. Die was verontwaardigd omdat ze op zijn kaarten was gaan zitten.

Ze schonk er geen aandacht aan. Eerst moest ze haar ademhaling onder controle zien te krijgen.

'Getver, je bent helemaal nat!' zei Jim.

Gelukkig. Hij had niks meegekregen. Ze zou het er met niemand over hebben. Ze had zich aangesteld als een klein kind.

Het goede antwoord

De volgende morgen ging Martje vroeg zwemmen. Roos wilde liever een computerspelletje doen. Jim hielp Iris met pannenkoeken bakken.

Bij het zwembad stonden de jongens die de eerste dag hier op een bedje hadden gelegen. Ze bekeek ze even. Konden dit de jongens zijn die haar hadden zitten bespieden van achter die struik? Het zou makkelijk kunnen.

Martje negeerde ze en gleed het water in .

Zij negeerden haar ook, gelukkig. Ze waren bezig een opblaasbootje op te blazen. Ze waren er veel te groot voor. Het was voor kleuters en deze jongens waren minstens dertien.

'Roderick, Bart-Jan!' klonk een vrouwenstem. 'Komen jullie? We gaan naar het strand. Zwemmen.'

'We zwemmen toch al,' zei de jongste tegen zijn broer.

Ze riepen niets terug.

Onmiddellijk klonk er een mannenstem.

'Roderick! Bart-Jan! Nú komen!'

Blijkbaar luisteren ze wel vaker niet, dacht Martje.

Zelf klauterde ze langs het trapje uit het water. Het was niet zo leuk, zonder Roos of Jim, en met deze jongens. Ze droogde zich af en liep dwars over het gras naar hun huis. Even bleef ze staan om naar een klein knalgeel vogeltje te kijken, dat in een palmboom zat te fluiten.

'Kom nu, jongens,' klonk ineens van dichtbij de moeder van Roderick en Bart-Jan.

Op smekende toon ging ze verder.

'We gaan vanmiddag nog met die dolfijnen zwemmen... Toe.'

Het enige antwoord uit het zwembad was een enorme plons van één van de jongens en een schaterlach van de andere.

Die trekken zich ook nergens wat van aan, dacht Martje.

Toen haar neus de geur van pannenkoeken oppikte, voelde ze ineens hoeveel honger ze had.

Na het ontbijt gingen ze naar het strand. Ze huurden een bedje en gingen in de zon liggen. Alleen Jim ging snorkelen. Af en toe kwam hij vertellen welke vissen hij had gezien.

Martje staarde naar links, naar het gebouw waarachter je met dolfijnen kon zwemmen. Het was superleuk geweest. Als ze groot was moest ze hier terugkomen, en zelf zo'n cursus betalen! Maar misschien kon het dan niet meer. Het heette vast niet voor niets junior-dolfijnentrainer.

Ineens vormde zich een vaag plan in haar hoofd.

'Mam?' vroeg ze. 'Mag ik even daarheen lopen?'

'Hmm,' zei Iris. 'Liever niet alleen.'

'Met Roos?'

'Niet zonder volwassene, bedoel ik. Waarom?'

'Ik wil informeren naar die prijsvraag.'

'Ik weet niet of het verstandig is...'

'Kom op, mam. Er staan hier overal van die bewakers.'

Ze had er eigenlijk maar één gezien.

'Ik hoef het strand niet eens af. Ik kan zo, langs die duikschool, het terrein op lopen.'

Iris kwam overeind.
'Tja, het is wel dichtbij.'
'Zo terug!' riep Martje.
'Maar zou je Roos niet mee...' begon Iris.
Maar Martje was al weggerend en deed of ze het niet hoorde. Als Roos mee had gewild had ze maar op moeten staan. Ze kon makkelijk alleen.

Martje had haar gele armbandje nog niet losgescheurd, omdat het haar deed denken aan die geweldige dolfijn. Maar ze durfde niet met een stalen gezicht langs de toegangscontrole te lopen.
Ze besloot de dame achter het glazen raampje uit te leggen wat ze wilde.
Fijn dat iedereen hier Nederlands spreekt, bedacht Martje.
Snel legde ze uit wat ze kwam doen. De dame deed niet moeilijk en wuifde haar het poortje door.
Ze liep over het overdekte terras waar het naar patat rook en ging het gebouw binnen. Aan de balie was het rustig.
'Kan ik je helpen?' vroeg een jongen.
'Er was op de radio een prijsvraag. Ik weet het antwoord toevallig omdat dolfijnen mijn lievelingsdieren zijn. En ik weet dat ik het moet opsturen, maar voor ik een envelop heb en een postzegel... en we logeren hier tegenover en we liggen hier vlak naast op het strand.'
De jongen glimlachte.
'Daar moet je Lisa-Marie voor hebben,' zei hij. 'Zij doet dat op Dolfijn FM. Elke week. Wacht even.'
Hij belde en even later stapte een jonge vrouw op haar af.
'Jij weet het antwoord?'

'Ja,' zei Martje snel. 'Zo'n soort sonar. Wat vleermuizen ook hebben.'

Lisa-Marie knikte.

'En weet je ook hoe dat heet?'

'Ja,' zei Martje. 'Wacht even. Iets met echo. Ehh... Het begint met echo.'

'Echolocatie,' zei Lisa-Marie. 'Ik reken het goed. Hoe weet je dat allemaal?'

'Ik heb mijn verslag gedaan over dolfijnen,' zei Martje.

'Dat dacht ik al,' zei Lisa-Marie. 'Het is best een moeilijke vraag. Ik heb je naam nodig, en je hotel of resort. Voor als je wint.'

'Wat is de prijs eigenlijk?'

'Had je dat niet gehoord?'

'Nee,' zei Martje.

'Een cursus junior-dolfijnentrainer.'

Martjes adem bleef steken.

'Niveau 1 of 2?' piepte ze.

'Jeetje,' zei Lisa-Marie. 'Jij weet er ook alles van. Het hangt een beetje van de winnaar af. Als je hier lang genoeg bent, niveau 2.'

'O, ik hoop zo dat ik win,' kreunde Martje. 'Doen er veel mensen mee?'

'Meestal zijn er niet meer dan tien mensen die iets insturen. En ik moet zeggen... Wij doen dit nu al twee jaar, maar jij bent de eerste die het antwoord persoonlijk komt vertellen.'

Martje voelde dat haar wangen gloeiden, hoe koel het ook was binnen.

'Misschien helpt het?' probeerde ze.

Lisa-Marie glimlachte.

‘Het is maar goed dat ik de winnaar niet zelf uitkies,’ zei ze. ‘Dan had je een enorme voorsprong.’

Martje lachte.

‘Het moet wel eerlijk gaan, natuurlijk,’ zei ze. ‘Ik wil eerlijk winnen.’

‘Ja. En nou wegwezen jij,’ zei Lisa-Marie. ‘Ik heb een vergadering.’

‘Mijn adres!’ riep Martje. ‘Je hebt mijn naam en adres nog niet opgeschreven.’

Lisa-Marie noteerde het in een roze opschrijfboekje en maakte toen dat ze wegkwam. Martje rende ook snel terug om alles aan Roos te vertellen. Ze kon nu niets meer doen, behalve hopen.

Een brief

Misschien had Lisa-Marie vergaderd met degene die de winnaar wel uitkoos. Misschien had ze verteld hoe graag Martje wilde winnen. Of misschien was het toch eerlijk gegaan.

In ieder geval had de man bij de slagboom, die met zijn eeuwige flesje cola op een stoel in de schaduw zat, de volgende dag een brief van Dolphin Academy. Dat ze Martje van harte feliciteerden en dat ze morgen om acht uur kon beginnen.

Eruit gestuurd

Het klasje was maar vijf kinderen groot, het paste in een piepklein kamertje met airco. Zinzi, de dolfijnentrainster die hen les gaf, was tijdens haar studie naar Curaçao gekomen en nooit meer weggegaan.

'Ik heb de mooiste baan van de wereld,' zei Zinzi. 'Ik ben de hele dag bezig met dolfijnen en kinderen. Dolfijnen zijn mijn lievelingsdieren, en kinderen... ook.'

Iedereen lachte. Ze moesten vertellen wat hun lievelingsdieren waren en waarom. Iedereen koos dolfijnen.

Er was een filmpje over de geschiedenis van dolfijnen en walvissen, die afstamden van een landdier op vier poten. Omdat deze dieren van vis leefden hadden ze zich in een proces van miljoenen jaren aangepast aan een leven in zee. Maar ze moesten nog steeds naar boven komen om adem te halen.

Het was best leuk, maar Martje wilde zo snel mogelijk het water in om met ze te zwemmen. Zouden ze eindelijk los met ze mogen of kwam dat morgen pas?

'Is het niet zielig voor de dieren? Week in, week uit hetzelfde doen?' vroeg Martje toen ze vragen mochten stellen.

'De dolfijnen zwemmen alleen met mensen als ze er zin in hebben,' zei Zinzi. 'Daarom doen we het niet te lang per dag. De groepen die het water in gaan zijn klein. Bovendien zorgen we dat de trucjes die ze kunnen, niet in een vaste volgorde langskomen. We werken ook zonder toeristen met de dolfijnen, om ze nieuwe dingen te leren. Zo blijft het leuk voor ze. De dolfijnen komen hier op de eerste plaats, niet onze klanten.'

'En als ze een dag geen zin hebben?' vroeg Martje.

'Dan komen ze niet mee. Er zijn er hier tien. Ze hoeven echt niet elke dag. Maar meestal willen ze graag. We belonen ze natuurlijk ook met lekkere vis.'

Een half uurtje later ging Martje voor de tweede keer het water in. Bart-Jan en Roderick waren er ook, maar zij hadden een andere instructeur. Hun ouders stonden op een betonnen eilandje aan het einde van een pier foto's te maken.

John en Iris waren er niet, zij waren met Jim en Roos naar Willemstad.

Drie dolfijnen zwommen op hen af. Het waren Teresa, Annie en Copan.

Zinzi legde uit wat ze moesten doen, maar Martje wist het al en keek om zich heen. Een fotograaf maakte foto's en er stond ook een cameraman op de pier.

'Welke is dit?' vroeg ze even later aan Zinzi, nadat ze op de foto was gezet met een dolfijn in haar armen.

Ze had "wie is dit" willen vragen, maar dat klonk misschien stom.

'Teresa,' zei Zinzi. 'Ze heeft een dochtertje, dat al zelf vis eet, maar ook nog melk drinkt bij haar. Kayena. Ze zal zo wel komen.'

En inderdaad, Kayena kwam ook kijken.

'Ze kent de gebaren die we vanochtend geoefend hebben nog niet. Maar je kunt haar wel aaien. Je weet het hè, handen naast je lichaam houden tot ze vlak bij je is.'

Martje knikte, ze wist het nog. Ze aaide Teresa. Martje kon zien dat ze genoot van de aandacht. Het deed haar denken aan haar hond. Die kon ook zo dankbaar kijken als je haar aaide.

Daar kwam Kayena aanzwemmen. Teresa maakte plaats en Martje aaide de jonge dolfijn. Het was bijzonder zo'n kleintje te aaien, al voelde haar huid precies hetzelfde als die van de andere dolfijnen.

Martje hoorde dat Bart-Jan en Roderick voortdurend boos werden toegesproken door hun dolfijnentrainer, een donkere jongen met kort zwart haar. Ze besteedde er zo min mogelijk aandacht aan; ze wilde volop van Teresa an Kayena genieten.

Even later keek ze toch.

Ze konden zich niet normaal gedragen. De jongste strekte zijn handen voor zich uit en maakte wilde bewegingen in het

water. Martje wist nog steeds niet wie Roderick was en wie Bart-Jan.

'En nu is het genoeg geweest,' zei de trainer. 'Het water uit. Onmiddellijk.'

'Waarom?' vroeg de oudste.

'Jij ook,' zei de trainer. 'Omdat ik het hier voor het zeggen heb. De dolfijnen worden niet getreiterd.'

'Ik ga niet,' zei de oudste. 'Wat is dit voor oplichterij? Mijn vader heeft al betaald, hoor.'

De jongste spatte nog een keer naar Copan, de grootste dolfijn van allemaal. Het mannetje.

Martje wist dat dolfijnen natspatten leuk vonden, maar die jongens natuurlijk niet. Ze probeerden gewoon uit hoe ver ze konden gaan.

Dat was niet zo heel ver.

De cameraman had zijn camera weggelegd en liep voor

Martje en Zinzi langs. Zonder verder nog een woord te zeggen werden de twee jongens aan hun T-shirt meegetrokken door het zoute water. Ze hoestten en proestten en zwaaiden met hun armen. Voor ze het wisten stonden ze op de kant. De dolfijnen waren nergens te zien.

Martje had het gevoel dat ze maar een klein eindje verderop waren gezwommen. Veilig onder water. Daar konden ze het wel tien minuten uithouden als het moest.

'Pap!' riep de oudste. 'We zijn eruit gestuurd.'

Hij lachte hard, gemaakt.

'Dat staat je weer netjes, Roderick,' zei zijn vader.

Hij klonk niet erg kwaad.

'En jou, ook, Bart-Jan.'

'Ga je nou geld terugvragen?' vroeg Roderick.

Een oudere man met lang grijzend haar was aan komen lopen. Hij praatte in het Engels met de ouders.

Martjes aandacht werd getrokken door Teresa, die met Kayena naast haar kwam aanzwemmen. Ze keek nog één keer opzij. Ze zag hoe de ouders steeds beteuterder stonden te kijken, terwijl de man met het lange haar zijn verhaal deed.

De broers stonden er half vanaf gekeerd. Verstonden ze geen Engels of kon het ze werkelijk geen moer schelen?

'Het zijn echt enorme sukkels,' zei Martje 's avonds tegen Roos.

Zij stond af te wassen, Roos had de theedoek.

Thuis hadden ze een vaatwasser, maar zelf afwassen was eigenlijk best gezellig.

'En die ouders stonden erbij?' vroeg Roos.

Martje knikte.

'Ze deden niks. Die vader zei "niet zo netjes" of zoiets.'

'Zitten ze ook bij jouw cursus?' vroeg Roos.

'Nee. Ze hadden zo'n aparte ontmoeting, net als wij eergisteren.'

'Zullen we wraak nemen?' vroeg Roos.

Ze fluisterde bijna.

Martje dacht even na. Ze zou niet weten hoe. De jongens waren een stuk groter.

'Het gaat mij niet om hun,' zei Martje. 'Het gaat om de dolfijnen. Als die geen plezier meer hebben in het spelen met mensen...'

Ze maakte haar zin niet af. Wat zou er dan gebeuren? Dan hield alles gewoon op.

'Zwemt er er nooit eentje weg?' vroeg Roos.

'Ze kunnen zo weg,' zei Martje. 'Maar het zijn kustwaterdolfijnen. Ze leven in een kleine groep en hebben een vaste baai. Die zullen ze niet snel verlaten.'

'Dus dit is eigenlijk hun huis,' zei Roos.

'Ja,' zei Martje terwijl ze de bak met afwaswater leeg liet lopen. 'En hier krijgen ze natuurlijk lekkere vis van de trainers. Ze hoeven echt niet weg.'

'Kunnen ze die zelf niet vangen?' vroeg Roos.

'Jawel, ze vangen zelf ook vis. Dolfijnen die hier geboren worden, zoals Kayena, leren het van hun moeder.'

'En die kunstjes? Leert Kayena die ook van haar moeder? Dan krijgt ze ook vis.'

'Ik denk het wel,' zei Martje. 'Ze doet haar moeder in alles na. Ze zwemt altijd naast haar, dat duurt wel een jaar. Dus met die kunstjes zal het wel net zo gaan.'

Ze gaapte. Ze was veel te vroeg moe hier. John en Iris zaten met een wijntje op de veranda. Jim was met zijn kaarten bezig. Ze kon tv gaan kijken, maar…

Nee. Ze wist wat ze ging doen. Lekker in bed liggen met de werkmap die ze mee had gekregen van Zinzi.

Verdwijning

Ze leerden in de tweede les hoe dolfijnen geluiden gebruikten. Elke dolfijn had een eigen fluittoon, waaraan de andere dolfijnen hem konden herkennen. Als ze de aandacht van een bepaalde dolfijn wilden trekken, deden ze de fluittoon van die dolfijn na.

Zinzi vertelde ook wat Martje al wist: hoe dolfijnen met hoge klikjes echo's maken. Daardoor kunnen ze dingen onderscheiden die hun ogen in troebel water niet kunnen zien. Ze kunnen zo zelfs de verschillende soorten vis herkennen. Maar het zwemmen met dolfijnen was het leukst. In de klas had Martje gevraagd hoe ze Teresa kon herkennen, en Zinzi had het uitgelegd. Ze had zich voorgenomen om Teresa op te zoeken, maar dat hoefde niet; Teresa en Kayena kwamen zelf naar haar toe.

Dit keer kon ze volop van ze genieten. Geen vervelende jongens, geen onderwaterstoep waar ze op moest blijven staan. Ze kon gewoon lekker zwemmen met haar lievelingsdieren.

Weer lieten Teresa en Kayena zien dat ze genoten van de aanrakingen van Martje. Ze wist nu waarom de huid van dolfijnen zo glad en zacht aanvoelde: dolfijnen krijgen elke twee uur een nieuwe huid. Het was dus net alsof ze het huidje van een pasgeboren baby onder haar handen door liet gaan.

’s Middags liepen ze met zijn vijven naar het strand. Martje had haar iPod mee en lag in de zon te lezen. Af en toe schoof er een wolk voor de zon. Ook dan bleef het warm, maar niet te warm dankzij het briesje.

Na een tijdje zette ze haar duikbril op, klemde haar lippen om het luchtpijpje en liep het water in om te snorkelen. Ze zwom naar de rij rotsen die in het water lag om het strand te beschermen tegen de stroming.

Ze zag vissen met een vals oog aan de kant van hun staart, zodat het net leek alsof ze achteruit zwommen. Ze zag vissen met felblauwe randen, die wel licht leken te geven. En op een goed moment zag ze een rotsblok een oog opendoen.

Het was een platte vis, die over de rots lag en de kleur had aangenomen van het rotsblok. Zodra hij zijn oog sloot, kon je hem nauwelijks nog van de rots onderscheiden.

Pas toen de zon vlak boven de zee hing, spoelde ze het zout van zich af onder de douche.

‘Ben je daar eindelijk?’ vroeg Iris. ‘Je lijkt zelf wel een dolfijn. Jim ook trouwens. Kijk, daar duikt hij weer onder!’

‘En ik dan?’ vroeg Roos.

'Jij bent meer een hagedis,' zei Martje. 'Je hebt de hele dag in de schaduw gelegen. Met mijn iPod.'

'Nou en?' zei Roos. 'Jij kan hem toch niet op als je zwemt.'

'Geen ruzie, meiden,' zei Iris. 'We gaan een cocktail halen. Ik bedoel, John en ik een cocktail en jullie een shake. Die kunnen we hier opdrinken en van die prachtige lucht genieten.'

'Mogen we die aan de bar drinken, mam?' vroeg Martje. 'Dan krijgen we een glas. Anders doen ze hem in zo'n lompe plastic beker.'

'Wat maakt dat nou uit,' zei Roos.

Maar John was het voor een keer met Martje eens.

'Laten we maar aan de bar gaan zitten.'

Hij kwam overeind.

'Kom!'

Het was maar een paar stappen naar de bar. Martje koos een milkshake banaan. Roos nam cocos, Jim bleef in het water.

John en Iris praatten over de dollar en de economie. En over de prijs van huizen op Curaçao. Alsof ze hier ooit zouden gaan wonen...

Ze zag de vervelende jongens en hun ouders langskomen met het opblaasbootje, maar ze lette er niet op. Ze droomde weg en dacht terug aan Teresa en Kayena.

Teresa was twee keer groter dan Martje zelf, maar ze had zich nog nooit zo op haar gemak gevoeld.

De dolfijnen wilden contact maken en vonden het fijn als je ze aanraakte. Mensen en dolfijnen pasten goed bij elkaar. Ze waren allebei slim, allebei hielden ze van spelletjes.

Martje wist dat de glimlach gewoon de vorm van hun mond was. Maar hun ogen logen niet. Teresa en Kayena hadden echt contact gemaakt.

Morgen was er geen cursus, maar overmorgen zou ze gaan snorkelen. Dan zou ze ook andere dolfijnen ontmoeten. Chabelita misschien, of Copan. Copan was een mannetje; zou dat anders zijn?

De ouders van Roderick en Bart-Jan gingen aan een tafeltje zitten, vlak bij de bar.

'De jongens luisteren echt verdraaid slecht op het moment,' zei hun vader.

'Het is de leeftijd,' zei hun moeder.

'Wat doen we verkeerd? Ze krijgen alles wat ze hebben willen. Ze hoeven je nooit te helpen in het huishouden. En wat is hun dank?' De vader zuchtte. 'Ze gaan vol-le-dig hun eigen gang. Volledig.'

Waarom is het alleen háár huishouden, dacht Martje. Waarom zegt hij niet: ze hoeven ons nooit te helpen?

'Ze groeien er wel overheen.'

'Net ook, met die strandwacht. Die praatte toch verstaanbaar Nederlands, of niet? Dat ze niet met dat domme bootje het water in moesten, vanwege de stroming. Ze keken hem aan alsof ze een buitenaards wezen ontdekt hadden. En zich er iets van aantrekken, ho maar.'

'Waarom zeg jij er dan niet wat van?' vroeg de moeder geïrriteerd. 'Zo laat je zo'n strandwacht ook aardig in zijn hemd staan.'

'Dat helpt toch ook niet. Ik dacht, ik doe alsof ik er niet bij hoor. Ik ben op vakantie, de groeten.'

'Ze zijn nog steeds met dat bootje bezig. Buiten de baai ook nog.'

Martje keek naar het water. Ze zag de jongens niet. Misschien zaten ze achter de rotsblokken.

Ze had zin in nog een milkshake, maar ze vroeg het niet. Ze slurpte met haar rietje de laatste restjes op, totdat het lawaai ging maken.

Dat was het verschil tussen haar en die jongens, bedacht ze. Het maakte haar nog wat uit, wat grote mensen van haar dachten. Roderick en Bart-Jan hadden daar maling aan. Ze deden precies wat ze zelf wilden.

'Mogen we ook zo'n ding?'

Martje schrok. De jongens over wie ze had na zitten denken, stonden vlak achter haar. Hun lange zwemshorts druppelden nog, ze hadden geen handdoek gepakt.

'Waar is dat geval gebleven?' vroeg hun vader.

'Welk geval?' vroeg Bart-Jan.

'Dat opblaasgeval, dat bootje.'

'O dat.'

'Nou?'

'Dat ligt ergens op het strand of zo,' zei Roderick. 'Mogen we nu zo'n ding!'

Het klonk geïrriteerd, alsof hij er al veel te lang op had moeten wachten. Zijn vader wenkte naar een vrouw van de bediening.

Martje stond op en liep naar het strand. Ze was nieuwsgierig of het bootje er echt lag. Ze wist niet waarom, ze had het gevoel dat de jongens maar wat hadden gezegd. Het bootje lag inderdaad nergens. Nou ja, wat zou het haar boeien.

Ze zette haar hand boven haar ogen en keek de verte in. Ze zocht Jim. Misschien had hij nu wel zin om bij hen te zitten? Ze speurde naar het fel oranje puntje aan zijn snorkelpijp. Dat was vaak het enige wat je van hem zag.

Ze zag het niet. Ze keek bij hun strandbedjes. Daar lag zijn

duikbril. Hij was dus niet aan het snorkelen. Waar was hij dan wel?

Ze kreeg ineens een ijskoud gevoel, ergens in haar buik. Snel liep ze terug naar John, haar moeder en Roos.

'Waar is Jim eigenlijk?' vroeg ze zo luchtig mogelijk.

Ze wilde niet paniekerig overkomen.

'Snorkelen toch?' vroeg John verbaasd.

Er verscheen een rimpel tussen zijn ogen.

Iris gleed van haar kruk.

'We gaan wel even kijken,' zei ze op een overdreven geruststellende toon.

Zoekactie

'Jim is weg,' zei Martje tegen de jongens.

Ze had meteen spijt, want ineens voelde ze zich klein.

Jim was nu al tien minuten zoek. John en Iris zochten het strand af. John liep richting het dolfijnencentrum, Iris en Roos gingen de andere kant op. Martje bleef in de buurt van hun bedjes.

Ze haatte ineens de zee en de laagstaande zon die haar verblindde. En al die stomme mensen die gewoon doorpraatten en niet wisten dat er een jongetje zoek was.

Roderick en Bart-Jan hadden hun milkshake niet opgedronken. Zonde.

'Jim?' zei Roderick.

Op de een of andere manier klonk het hooghartig.

'Mijn stiefbroer,' zei Martje, al had ze een hekel aan het woord.

'O,' zei Roderick.

Bart-Jan keek even naar zijn broer op, maar geen van beiden zeiden ze nog wat.

Martje merkte ineens dat ze in de weg stond. Ze schoof een beetje opzij, tegen een houten stoel aan. Bart-Jan en Roderick liepen door, gevolgd door hun vader.

'Is hij al lang weg?' vroeg de moeder.

Haar accent deed denken aan de koningin, maar ze leek tenminste geïnteresseerd.

'Eh... een kwartiertje of zo.'

'Ah joh,' zei de moeder. 'Maak je geen zorgen. Die is zo terug.'

'Ik dacht misschien... Uw zoons...' stamelde Martje.

'Hoe oud is je broer?'

'Acht.'

De vrouw schudde haar hoofd en ging haar man achterna.

'Daar spelen ze niet mee.'

Martje liep weer naar de zee en keek om zich heen. Ze had het gevoel dat ze Jim elk ogenblik uit het water kon zien komen, proestend en zijn hand uitstrekkend voor een handdoek.

Ze zag zijn hoofd met nat haar dat alle kanten op stak zo duidelijk voor zich, dat het bijna pijn deed om naar het water te kijken.

De enige die aan kwam lopen, was John. Hij was alleen en zijn gezicht stond niet vrolijk, maar Martje vroeg toch: 'En?'

John schudde zijn hoofd.

'Misschien hebben Iris en Roos meer geluk.'

Maar Iris en Roos hadden Jim ook niet gezien en even later stonden ze bij een jonge zwarte vrouw die de strandbedjes afrekende. Die knikte en liep weg.

'Hier wachten, ja?' zei ze over haar schouder.

Ze kwam terug met een breedgeschouderde man in een lichtgroen *security*-uniform. Hij had een portofoon aan zijn riem en luisterde naar Johns verhaal. Wat er alleen maar op neer kwam dat ze niet wisten waar Jim was, sinds een klein halfuur.

De man knikte een paar keer, brabbelde iets onverstaanbaars in de portofoon en verdween.

'Wat gaat hij doen?' vroeg Iris aan de vrouw.

Die haalde haar schouders op.

'Wacht hier maar, *dushi*,' zei ze.

Martje wist dat *dushi* schatje betekende. Ze vond het raar dat de vrouw het tegen haar moeder zei.

'Ik wil liever bij het water blijven,' zei Martje. 'Straks komt hij eruit en dan ziet hij ons nergens.'

'Ik loop met je mee,' zei Iris. 'John, blijven jullie hier op die jongen wachten?'

John knikte.

Er kwam natuurlijk geen Jim uit het water. Als hij nog aan het zwemmen was, dan zwom hij ergens zo ver dat je hem niet meer kon zien.

John, Roos en de man in het groene uniform kwamen aanlopen. Hij had een verrekijker gehaald. Hij speurde ermee het water af. Het trok de aandacht; om hen heen vielen alle gesprekken stil.

Er werd gedempt gesproken, het ging zeker over wat er aan de hand was.

Boven de baai kwam een helikopter over.

'Is die al op zoek of zo?' vroeg Martje, eigenlijk aan John.

Maar de man in het uniform draaide zich naar haar toe en keek haar een paar seconden aan.

'Dat is een goed idee,' zei hij. 'Dank je.'

En direct begon hij in zijn portofoon te praten, in een vreemde taal. Hij praatte snel.

'Het is een helikopter voor toeristen,' zei John. 'Je kunt het hele eiland zien vanuit de lucht.'

'Net te laat,' zei Martje, terwijl ze de helikopter nakeek.

'Nee, kijk dan!' riep Roos.

De helikopter draaide om en ging iets lager vliegen. Hoewel het ding vaart minderde, werd het lawaai erger.

Het hele strand had nu door dat er iets aan de hand was. Overal zaten mensen rechtop.

Martje kon er niet mee zitten. Al haar hoop was gevestigd op de helikopter. Die zou Jim zo zien, de portofoon van de man zou gaan pruttelen, en ze zouden elkaar straks opgelucht in de armen vallen.

De helikopter keerde weer om, steeg iets en zette zijn toeristische tochtje voort.

De portofoon van de man liet inderdaad iemand horen, maar het was alleen maar om te zeggen dat ze niks gezien hadden.

Het koude gevoel in de buik van Martje kwam terug. Terwijl er niet eens meer een milkshake in haar maag zat.

'Blijven jullie maar hier,' zei ze tegen haar moeder en John. 'Ik ga even thuis kijken.'

'Zou je dat nou wel doen?' vroeg Iris.

Maar John zei: 'Doe maar. En kom hier weer terug, oké?'

Ze liep het strand af, nam de kortste route, dwars door de lobby van het Lions Dive Hotel. Even later liep ze in de blakende zon. Ze voelde hoe die haar huid verwarmde terwijl het windje weer voor verkoeling zorgde. Ze zag de vrolijke bankjes waar reclame op stond. Maar nu kon ze er even niet van genieten.

De bewaker bij de ingang van het vakantiepark groette haar vrolijk en stak een duim op. Martje zwaaide vaag terug. Meer hollend dan lopend kwam ze aan bij hun huis. Het was schoongemaakt en lag er verder uitgestorven bij.

Haar schriftje van de Dolphin Academy lag boven op een

keurig stapeltje. Ze pakte het op, hoewel ze wist dat ze met-een terug moest. Voor het eerst bekeek ze de blauwe voor-kant goed. Er stond een dolfijn op. Nu zag ze pas wie het was: Copan.

Gisteren had ze nog met de dolfijnen in het water gelegen, en met Jim in het zwembad. Maar zou dat morgen weer zo zijn?

Marine

Martje had heel onrustig gedroomd, ze was helikopterpiloot en al haar instrumenten waren uitgevallen. Toen ze eindelijk geland was had ze geen idee waar ze was.

En nu ze wakker was kwam dat weer terug: waar was ze?

Een halve seconde verbaasde ze zich over het zacht-zoevende geluid, toen wist ze het weer: de airco.

Ze was op Curaçao, en Jim was weg. Ze hadden de hele avond gezocht, totdat Iris en John hadden besloten dat ze moesten gaan slapen.

Ze schoot uit bed, liep de woonkamer in en kneep haar ogen tot spleetjes. Buiten was het nog donker, maar alle lichten waren aan en Iris en John zaten op de bank. Ze zagen er moe uit. Martje telde vier lege bierflesjes op het tafeltje voor hen.

'En?' vroeg Martje, tegen beter weten in.

Dat had ze gistermiddag ook al gedaan.

John schudde zijn hoofd.

'En nu?' vroeg ze.

John haalde zijn schouders op.

'We mogen elk heel uur met de politie bellen,' zei Iris. 'Ze zeggen dat hij misschien is gaan dwalen en een slaapplaats heeft gevonden voor de nacht. Ik geloof er zelf niks van. Dan zou hij het huis toch wel vinden?'

'Als hij in het water ligt, is hij nu zeker bewusteloos van de kou,' zei John.

'Toe, John,' zei Iris.

John wilde antwoord geven, maar Martje was hem voor. Nu geen ruzie.

'Dat had ik zelf ook al wel bedacht. Hoe laat is het?'

'Kwart over zes,' zei Iris. 'Het wordt al minder donker. Zodra het licht is, kunnen ze verder zoeken.'

'Zijn ze nu niet aan het zoeken, dan?' vroeg Martje.

Ze schrok zelf van haar verontwaardigde toon.

'Nope,' zei John. 'Te donker.'

Martje dacht aan de dolfijnen en hun echolocatie. Die hadden geen last van het donker. Het was gewoon omdat de politie liever wilde slapen, dat wist ze zeker. Ze konden toch zoeklichten gebruiken?

'Hebben jullie geslapen?'

'Nee,' zei Iris. 'Wel geprobeerd, maar...'

Ze maakte haar zin niet af.

Even was het stil. Martje dacht verder over Copan, Chabelita, Teresa en Kayena. Als er een manier was om de dolfijnen duidelijk te maken dat ze op zoek moesten gaan...

Ze gaapte. Slapen ging niet meer, maar ze was wel moe. Ze dacht terug aan een filmpje dat ze gezien had in het lokaal. Dolfijnen konden niet helemaal in slaap vallen, want ze moesten naar boven om adem te halen. Daarom sliepen ze eerst met één hersenhelft, en daarna met de andere. Steeds was één oog open, het andere dicht.

'Wat lach je?' vroeg Iris.

Blijkbaar had Martje zitten grijnzen.

'Niks. Ik dacht aan de dolfijnen.'

'Die lachen ook als er niks is om blij over te zijn,' zei John.

Martje ging er niet op in. Ze vond het niet zo'n aardige opmerking, maar John moest doodop zijn. Jim was zíjn zoon.

'Zal ik de les vandaag maar overslaan?' stelde ze voor.

'Ben je gek,' zei Iris. 'Het leidt je tenminste even af. Je kunt toch niets doen.'

'Ik kan vast mijn gedachten er niet bij houden,' zei Martje twijfelend.

'We kunnen sneller schakelen als jij onder de pannen bent,' zei John. 'Ga nou maar gewoon.'

Martje zuchtte. Dat was al de tweede rotopmerking.

Maar ze ging wel naar de klas en er waren momenten waarop ze helemaal niet aan Jim dacht. Ze keek ademloos naar een filmpje over de geboorte van Chabelita.

Zinzi vertelde dat als een babydolfijntje geboren werd, de moeder het razendsnel naar boven duwde, zodat het adem kon halen.

Ze namen de gebaren voor de verschillende trucs nog even door. Vandaag zouden de leerlingen met de dolfijnen optreden in de show.

'Ik hoop zo dat Jim op de tribune zal zitten,' zei Martje, eigenlijk tegen niemand in het bijzonder.

Zinzi keek haar meelevend aan.

'Weet je wat,' zei ze. 'Ik heb vandaag de microfoon in de show. Ik vraag of de mensen in het publiek uit willen kijken naar Jim, als hij nog niet terug is.'

Martje glimlachte flauwtjes en knikte. Ze was haar dankbaar. Zo konden ze toch nog wat doen. Het nam iets weg van het gevoel dat ze op de verkeerde plaats was, of in ieder geval op dit moment op de verkeerde plaats.

De show was spannend. Martje kreeg haar *foot push.* Ze moest zich zo stijf houden als een plank. Teresa's neus duwde haar onder haar voeten vooruit, zodat zij een stukje overeind kwam uit het water. In een flits zag ze Roos op de tribune die was gaan staan om te klappen. Het voelde fantastisch.

Pas toen het afgelopen was, dacht ze weer aan Jims verdwijning.

Na de show hielpen Martje en de anderen met het uitspoelen van de visemmers.

Bob, de oudste van de dolfijnentrainers, die met de ouders van Roderick en Bart-Jan had gepraat, kwam binnen. Hij sprak Zinzi aan.

'De dolfijnen zijn onrustig. Ze zijn zichzelf niet.'

'Wat hebben we vanmiddag?' vroeg Zinzi.

'Een *dubbele swim*, en een duiktrip,' zei Bob, terwijl hij een vinger door zijn grijsblonde haar haalde.

'Hmmm...' zei Zinzi.

Een diepe denkrimpel verscheen tussen haar wenkbrauwen.

'Zullen we die afblazen?' vroeg Bob.

Zinzi dacht even na.

Martje hoopte dat ze het ermee eens zou zijn. Zinzi had zelf verteld dat de dolfijnen op de eerste plaats kwamen.

'Wacht,' zei Zinzi. 'Ik ga het water in. Kijken wat er met ze is. Dan kunnen we beter beslissen.'

Bob knikte.

'Ik wacht jouw mening in ieder geval af,' zei hij en verdween.

Even later was Zinzi ook weg.

Martje maakte snel haar emmer schoon, trok het stuk van de vloer droog waar de anderen niet stonden te spetteren, en liep naar buiten.

Ze zag het meteen. De dolfijnen waren uit hun doen. Ze kwamen vaker boven dan anders en zwommen harder dan ze gewend was, kriskras door elkaar heen.

Kayena en Teresa waren niet bij elkaar, wat ook niet klopte.

Ineens was Martje het zat om niets te kunnen doen aan alle problemen. Ze zocht haar duikbril, pakte haar zwemvliezen en gleed het water in.

Het was vast niet de bedoeling, maar ze kende de dieren nu, voor haar gevoel. Misschien kon ze ze een beetje geruststellen. Ook al mocht het niet, ze wist zeker dat de dolfijnen het in ieder geval zouden waarderen.

Teresa gleed voor haar langs, haar kop van links naar rechts zwenkend, alsof ze iets zocht. Haar dochter Kayena natuurlijk.

Om Martje heen floten de dolfijnen als een gek door elkaar heen. Misschien kon ze boven water meer zien. Ze hief haar hoofd en tuurde over de glimmende oppervlakte. Ze zocht Kayena en zag haar toevallig net duikelen, vlak bij de rotsen die de baai afschermden.

'Wat doe jij hier?' hoorde ze, vlak voordat ze weer onderdook.

Zinzi. Maar die moest maar even wachten.

In een ogenblik was ze bij Teresa. Ze aaide haar over de flank, en vlak achter haar voorvin. Toen zwom ze langs, ging iets voorop. Ze moest maar hopen dat Teresa haar zou volgen.

Even was Martje bang dat Kayena intussen weer heel ergens anders heen was gezwommen, maar dat was gelukkig niet zo. Martje zwom erheen en pas toen ze vlakbij was, keek ze om naar Teresa. Die zwom nog naast haar, iets achter haar. Alsof zij de moeder was en Teresa het kind.

Toen zagen moeder en dochter elkaar, en in een seconde draaiden de rollen om. Kayena zwom weer naast Teresa alsof ze nooit anders gedaan had.

Martje zag hoe snel ze wegzwommen. Zo snel, ze zou ze nooit bij kunnen houden. Ze was opgelucht. Die twee waren weer bij elkaar.

Ze tilde haar hoofd uit het water op en moest even bepalen waar de kust was. Ze keek om zich heen. In de verte lag een grijs marineschip, groot en dreigend. Bovenop stond een radarinstallatie. Wat deed dat schip daar?

‘Hé, jij! Martje!’ riep Zinzi.

Nu kreeg ze natuurlijk op haar donder.

‘Ik ga er al uit!’

‘Nee, dat wou ik niet zeggen. Ik wou wat vragen. Ik heb geen idee wat er met de dolfijnen is, maar ik dacht: heb jij misschien iets vreemds gezien?’

‘Ik zou het niet weten,’ zei Martje, terwijl ze zich op de vlonder hees.

Ze zag hoe dichtbij het marineschip was en op hetzelfde moment kreeg ze een idee. Maar ze wist dat ze het nooit tegen Zinzi zou durven zeggen.

Sonar

Toen ze thuiskwam zat Roos te tekenen op de veranda. John en Iris stonden binnen bij de bar, die de open keuken scheidde van de kamer. Ze keken steeds naar de telefoon, alsof hij daardoor sneller over zou gaan.

'Er ligt een marineschip vlak voor de kust,' zei Martje.

'God verhoede dat de marine Jim vindt,' zei John.

Martje keek hem verbaasd aan.

'Ze hebben sonar,' legde Iris uit. 'Ze kijken ermee op de bodem van de zee. Als ze Jim daar vinden, dan...'

Martje knikte.

'Zie je wel!' riep ze.

Nu stonden John en Iris haar aan te staren.

'De dolfijnen zijn helemaal van slag,' zei Martje. 'Ik dacht al dat het marineschip iets uitzond!'

'Hoezo, van slag?' vroeg Iris.

'Ik had toch verteld dat ze met echo's de weg vinden? Als dat marineschip zijn sonar aanzet, raken de dolfijnen in de war! Dat zijn ook tonen die onder water echo's geven!'

'Belachelijk,' zei John.

'Denk je?' vroeg Iris. 'Er zou best iets in kunnen zitten.'

Martje voelde dat ze nu precies het juiste moest zeggen om John te overtuigen. Als dat niet lukte, zou het schip de sonar nog uren of misschien wel dagen aan laten staan.

En waarom? Als ze wilden kijken of Jim op de bodem lag, konden ze ook vast wel duikers sturen of met onderwaterlampen kijken. Bovendien lag Jim helemaal niet op de bodem. Hij kon zwemmen als de beste. Hij was een echte waterrat.

'De dolfijnen zijn helemaal in de war. Bob en Zinzi hadden het erover dat ze de duiktrip die straks begint misschien af moeten zeggen. Zoiets is nog nooit voorgekomen. Het is echt zielig. Alleen maar omdat die marine-types met hun sonar willen spelen.'

'Die mensen helpen ons,' zei John. 'En die dolfijnentrainers... die kunnen dat schip toch zelf ook zien? Hebben ze er niks over gezegd?'

Hij schudde zijn hoofd.

Gelukkig schoot Iris haar te hulp.

'Je moet maar net op het idee komen. Niet iedereen heeft verstand van marineboten.'

'Oké,' zei John. 'Ik zoek het wel even uit op internet. Hou jij de telefoon in de gaten?'

Martje liep ongeduldig achter John aan naar de slaapkamer, waar de laptop lag. John startte hem op. Het leek een eeuwigheid te duren. Maar daarna had John het zo gevonden.

'Je hebt nog gelijk ook,' mompelde hij en hij klapte de laptop dicht. 'Dolfijnen raken echt helemaal van de leg door die sonar.'

'En nu?' vroeg hij aan Iris. 'We hebben hemel en aarde bewogen om de politie in actie te krijgen. De marine is er om te helpen, die kunnen ze nu moeilijk wegsturen.'

'We kunnen het toch aan Zinzi gaan vertellen?' vroeg

Martje. 'Dan kunnen zij met de marine overleggen wat het beste is.'

'Dat is een goed plan,' zei Iris. 'Ga jij met haar mee, of blijf je liever hier?'

'Gaan jullie maar met z'n tweeën,' zei John. 'Ik wacht bij de telefoon.'

'Doet je mobiel het niet?' vroeg Martje.

'Jawel,' zei John, 'maar soms is het bereik weg. Zal je altijd zien dat ze je dan proberen te bellen.'

'Ik ga ook mee,' zei Roos, die door de tuindeuren tevoorschijn was gekomen.

Snel liepen ze naar de Dolphin Academy. Martje was blij dat er iets was wat ze konden doen, al had het niks met het vinden van Jim te maken. Hoewel...

Ergens had Martje het gevoel dat het goed zou zijn als de dolfijnen rustig waren.

Druppeltjes zweet liepen alweer over haar gezicht toen ze dankzij haar gekleurde polsbandje zó door de kaartcontrole liepen.

Even later stapten ze de gekoelde hal in waar de balie was. Martje had gehoopt dat ze meteen Zinzi tegen het lijf zou lopen, maar dat was niet zo. Gelukkig stond er geen rij voor de balie, zoals 's ochtends.

'Uhm, mijn dochter...' stamelde Iris toen ze aan de beurt waren.

Martje besloot dat ze geen tijd hadden voor stamelen.

'De dolfijnen zijn toch zo onrustig?' zei ze snel. 'Het komt door de sonar van de marine. Die zoekt naar een jongetje, mijn stiefbroer.'

'O,' zei de vrouw achter de balie en ze pakte de telefoon.

Martje keek vol bewondering naar haar superlange nagels. Ze waren roze gelakt en staken fel af tegen de zwarte huid. De nagels tikten op de toetsen en het duurde maar even voor er werd opgenomen.

'Bob? Er staat hier een meisje aan de balie, junior-trainer. Ze zegt dat de marine sonar gebruikt.'

Het was even stil.

'Een of andere zoekactie.'

Na even luisteren zei ze: 'Oké!'

Toen hing ze op.

Bob kon niet ver weg geweest zijn, want na een paar tellen kwam hij op hen af lopen. Hij gaf Iris afwezig een hand en richtte zich meteen tot Martje.

'Vertel eens?'

'Mijn stiefbroer is kwijt. We hebben hem aan het strand voor het laatst gezien. Nu zoekt de marine op de bodem met sonar of ze een lichaam kunnen ontdekken. Dáár!'

Ze wees in de richting van het schip.

'En toen dacht ik, misschien zijn de dolfijnen daarom van slag. John, mijn moeders vriend, heeft het opgezocht op internet. Het klopt, daar kunnen ze van in de war raken.'

'Dat kunnen ze zeker,' zei Bob, terwijl hij een hand door zijn haar haalde.

'Het is echt niet fijn voor ze. We hebben alles afgelast voor vanmiddag.'

Hij dacht even na.

'Kan uw zoon zwemmen?' vroeg hij toen.

'Jim is de zoon van John, haar vriend,' zei Roos.

'Diploma A tot en met... Z, zo'n beetje,' zei Iris. 'Waarom vraagt u dat?'

'Dan is de kans nogal klein dat hij op de bodem ligt,' zei Bob. 'Ik denk aan onze dieren, maar ik denk natuurlijk ook aan uw... eh...'

'Stiefzoon,' zei Iris.

'Precies,' zei Bob.

'Die sonar moet echt uit!' zei Martje. 'Jim ligt daar niet. Als hij daar zou liggen, was hij dood.'

'Nou, Martje,' zei Iris bestraffend.

Martje haalde wanhopig haar schouders op.

'Ik bedoel, ze zoeken helemaal niet op het land of met helikopters. Het enige wat ze doen is die stomme sonar aanzetten op een schip dat er toevallig toch ligt.'

Bob knikte.

'Ik ga met de marine bellen,' zei hij. 'Als u het daarmee eens bent?'

Iris zei niets, de twijfel stond op haar gezicht te lezen.

'Mam,' zei Martje. 'Je hoorde hem toch? Het is verschrikkelijk voor de dolfijnen. En Jim is niet dood. Dat weet ik zeker!'

'Ik weet het niet,' zei Iris.

Maar Bob draaide zich toch om.

Na een paar passen zei hij over zijn schouder: 'Bedankt, Martje.'

Hoe weet hij mijn naam nou, dacht Martje.

Een vermoeden

Met haar hoofd steunend op haar opgetrokken knie zat Martje naar de dolfijnen te kijken, die nog steeds niet zichzelf waren.

Iris was naar huis gegaan, en had drie keer gevraagd of Martje echt bij de Dolphin Academy wilde blijven.

Martje had voet bij stuk gehouden. Ze wilde met eigen ogen zien dat het goed kwam met haar lievelingsdieren. Ze staarde voor zich uit en dacht aan Jim. Waar was hij? Ze kon niet geloven dat hij dood was.

John had gezegd dat niemand zich schuldig moest voelen, maar er knaagde toch iets aan Martje. Als ze niet had zitten zeuren over het verschil tussen een cocktailglas of een plastic beker, hadden ze de milkshakes op de strandbedjes opgedronken en waren ze Jim nooit uit het oog verloren.

Een andere gedachte plantte zich plotseling in haar hoofd.

Waar was het opblaasbootje?

Van het ene op het andere moment kon ze aan niks anders meer denken.

Hoe was het ook alweer gegaan?

De jongens waren het strand op gelopen. Eén van hun ouders had gevraagd waar het bootje was. Ze hadden gezegd dat het op het strand lag.

Even later waren ze weggelopen, langs Martje. Toen hadden ze geen bootje bij zich... Hadden ze het daarna van het strand gehaald? Dat kon, Martje was ze niet de hele tijd na blijven kijken.

Ineens werden de dolfijnen rustiger. Ze bleven rondzwemmen, maar duidelijk minder opgewonden dan daarstraks.

Bob had zijn zin gekregen. De sonar was uit.

In een impuls dook Martje het water in. Het mocht misschien niet, maar er was niemand in de buurt, en ze was niet van plan lang te blijven.

Ze gleed door het water, paste op om niet met haar armen te zwemmen en wachtte. Het duurde niet lang of Teresa zwom naast haar. Martje aaide haar en keek haar aan. Verbeeldde ze zich het, of leek Teresa dankbaar?

Toen ze naar de kant zwom, haalde Copan haar in. Hij dreef even naast haar en Martje zag nu pas hoe groot hij was. Ze gaf hem een aai en Copan verdween weer.

Martje hees zich op het droge en liep snel de pier af. Door het koele gebouw liep ze weer de warmte in, die lekker aanvoelde nu ze nat was. Binnen vijf minuten was ze bij het bungalowpark.

Maar ze ging niet naar hun huis. Ze keek bij het zwembad, maar daar was niemand. Toen liep ze naar het huis van Roderick en Bart-Jan.

Ze moest weten waar dat bootje was. Als het bij die mensen thuis lag, was haar vermoeden fout. Maar als ze het niet hadden, dan had Jim zich er misschien aan vastgeklampt. Want hij was niet verdronken, wat de marine ook dacht. Hij lag helemaal niet op de bodem.

Ze kwam dichter bij het huisje en ging steeds langzamer lopen. Hoe moest ze het aanpakken? Ze zou nooit durven aanbellen. Zat er trouwens een bel op die houten deuren?

Bij hen stond alles open als ze er waren. Bij die jongens en hun ouders ook?

Ze aarzelde, maar draaide zich toch om en holde naar huis. Ze kon Roos vragen mee te gaan. Met zijn tweeën was het veel minder eng.

Even later liep ze samen met Roos naar het huis van de broers.

Roderick zat op de veranda. Gelukkig. Ze hoefde dus niet aan te bellen. Waarom had ze alleen haar bikini aan? Had ze maar wat aangetrokken.

'Hoi,' zei ze.

Roderick keek op uit een stripboek en zei niks. Hij keek haar alleen maar vragend aan.

Roos stond achter Martje en zei niets.

'Ben je alleen thuis?'
'Ja, hoezo?'
Martje haalde haar schouders op.
Roos zette een stap naar voren.
'We willen je wat vragen,' zei ze.
'Vraag dan,' zei Roderick.
Zijn blik ging heel even naar zijn stripboek, en toen gauw weer terug.
'Als het maar niet is waar je broer uithangt, want dat weet ik niet.'
Martje haalde diep adem.
'Waar is jullie opblaasbootje?'
'Ehhh... geen idee,' zei Roderick.
Een auto kwam aanrijden, stopte en Martje hoorde hoe de handrem werd aangetrokken. De motor ging uit. Misschien moest ze nu weggaan. Maar ze wilde een beter antwoord op haar vraag dan "geen idee".
Bart-Jan kwam de hoek om stuiven met een enorme zak lolly's in zijn hand. Hij stopte abrupt.
'Hé! Wat doen jullie hier?'
Het klonk niet zo vriendelijk.
Martje wist even niet wat ze moest zeggen. Waar waren ze aan begonnen? Straks kwamen die ouders ook nog de veranda op.
'Ze wil weten waar het opblaasbootje is,' zei Roderick.
'O,' zei Bart-Jan. 'Dat.'
Het was even stil.
'Nou?' vroeg Martje, toen ze eindelijk de moed ervoor verzameld had.
Het ging tenslotte om Jim!

'Weet ik veel,' zei Bart-Jan. 'Weggedreven. We hadden het mee naar het strand genomen gister, en ineens was het weg. De wind, denk ik.'

Martje keek naar haar zusje, en toen naar Roderick. Die knikte en maakte een vragend gebaar met zijn hand, alsof hij zich afvroeg wat ze had aan die kennis. Hij keek weer in zijn stripboek.

Roos zette een stap naar achteren. Martje wilde zich ook omdraaien. Maar Roos was tegen de moeder van de jongens op gelopen, die net met twee zware tassen de veranda op kwam.

'Zo! Jullie hier! Wat een verrassing.'

Ze klonk niet erg enthousiast.

Haar man kwam nu ook de veranda op.

'Wat komen jullie eigenlijk doen, als ik vragen mag?'

'We gaan al weg,' zei Martje.

Zo snel ze konden liepen ze het grote grasveld op. Een leguaan schoot weg, Martje schrok ervan.

'Wat hebben we hier eigenlijk aan?' vroeg Roos toen niemand ze meer kon horen.

'Wat is er zo belangrijk aan dat bootje?'

'Zij zijn het bootje kwijt, wij zijn Jim kwijt. Dat kan toeval zijn natuurlijk. Maar ik heb het gevoel... Ik weet niet, het lijkt me goed nieuws.'

'Is het erg als ik het niet begrijp?' vroeg Roos.

Martje lachte.

'We hebben een vermoeden,' zei ze even later tegen John en Iris. Ze hadden hen gevonden bij hun vaste bar op het strand. John en Iris lieten gelukkig altijd een briefje achter waar ze te vinden waren.

'En dat is?' vroeg John.

'Het klinkt misschien belachelijk, maar...'

Even wist ze niet hoe ze verder moest gaan.

'Vertel nou maar,' zei John geïrriteerd.

Hij was natuurlijk op van de zenuwen.

'Oké,' zei Martje. 'Die vervelende jongens hadden een bootje, toch? Zo'n opblaasding.'

'Ja?' zei Iris.

'Dat ding is er niet meer. Ze zijn het kwijtgeraakt, op hetzelfde moment dat Jim verdween.'

'En wat is nu je vermoeden?' vroeg John.

Martje vroeg zich af of hij het spottend bedoelde, maar ze ging toch maar gewoon door.

'Het was voor kleuters. Die jongens pasten daar echt niet in. Maar Jim wel. Misschien hebben ze het hem gegeven of zo.'

'Dan hadden ze dat toch wel gezegd!'

Iris riep het echt uit, veel te hard.

Martje zag mensen opkijken.

'Nou,' zei Martje, 'het zijn niet echt jongens die de hele tijd de waarheid spreken.'

'Hmm,' zei John.

Hij dacht even na.

'In zo'n bootje kan hij het wel een nacht en een dag uithouden. Hij zou niet al teveel afgekoeld hoeven zijn.'

'Dat had ik ook bedacht,' zei Martje. 'En er is nog iets.'

'Wat dan?' vroeg Iris.

'Ze liegen erover. Nu zeggen ze dat ze het kwijt zijn geraakt, dat het is weggedreven. Maar toen ze hier aankwamen, zaten hun ouders aan die tafel daar. Ze vroegen aan die jongens waar het bootje was. Toen zeiden ze dat het op het strand lag.'

'Jij let ook op alles,' zei Iris.

Ze leek trots op haar.

'Het hoeft niets te betekenen te hebben, natuurlijk,' zei John.

Maar hij bleef een hele poos nadenkend zitten kijken. Na een tijdje stond hij op.

'Ik ga daar eens kijken,' zei hij.

Hij rekende af en liep weg. Martje, Roos en Iris gingen mee, blij dat er iets was waar ze hoop uit konden putten.

Ver hoefden ze niet te lopen, want de jongens en hun ouders kwamen hen net tegemoet. Ze liepen op de houten vlonders aan de achterkant van het strand, richting Hemingway, de strandbar.

John en Iris bleven staan, Martje en Roos kropen achter hen. Martje vond het ineens eng. Ze was bang dat John een grote mond op zou zetten.

Wat als hij Martjes vermoeden zomaar voor hun voeten zou werpen? Ze zouden meteen weten dat Martje hen verdacht. En dan?

Ruzie

De ouders en de jongens gingen opzij, zodat ze er makkelijk langs konden lopen. Maar Iris en John bleven staan. Ineens miste Martje Jim nog erger. Als hij niet verdwenen was, hadden ze niet eens met deze mensen hoeven praten.

'U moest ik net hebben,' zei John.

'O?' zei de vader.

'Mijn zoon is nog steeds weg,' ging John verder. 'En we hebben een vermoeden dat uw zoons weten wat er gebeurd is.'

'Ik zou werkelijk niet weten hoe!' zei de moeder op schelle toon.

Martje keek naar Roderick en Bart-Jan.

Roderick keek ongeïnteresseerd om zich heen. Bart-Jan was van de vlonders afgestapt en tekende met zijn teen poppetjes in het zand.

'Zullen we anders even daar gaan zitten?' vroeg John.

Met zijn duim wees hij over zijn linkerschouder naar de tafels en de bar.

'Dat hoeft niet, hoor,' zei de vader.

Hij richtte zich tot zijn vrouw.

'Dit gesprek is zo over.'

'Dat denk ik niet,' zei John fel. 'Of uw zoons moeten snel toegeven dat ze gelogen hebben over dat opblaasbootje.'

De broers richtten hun hoofd op. Ze keken eerst naar John, en staarden toen Martje aan.

Ze wilde het liefst onder het warme zand verdwijnen. Dit was niet haar bedoeling geweest, toen ze haar vermoeden had verteld. Ze keek naar haar moeder, maar Iris stond nieuwsgierig en ernstig naar de familie te kijken.

'Stel nu eens dat ze inderdaad gejokt zouden hebben,' zei de vader langzaam, met een nadruk op elk woord, 'waar ik niets van geloof. Wat heeft dat dan in hemelsnaam te maken met uw zoon?'

'Wie weet hebben zij Jim met dat bootje het water op gestuurd. En is daar iets fout gegaan.'

'Dat is te belachelijk voor woorden,' zei de vader.

'Waarom vraagt u het ze niet?' vroeg John.

'Geen denken aan,' zei de vader. 'U beschuldigt hier zomaar mijn zoons! En dan zou ik ze moeten ondervragen? Be-la-che-lijk.'

'Toe joh,' zei de moeder tegen haar man. 'Die mensen hebben het moeilijk.'

'Die mensen vragen het zelf wel even,' zei John en hij zette een stap naar voren.

Vanuit haar ooghoek zag Martje dat een man in uniform aan kwam slenteren. Hij had hen eerder geholpen. Hij had zijn zonnebril op, dus je kon niet zien of hij het gesprek in de gaten hield.

De vader zette een stap opzij, zodat John niet verder kon.

'Zeg, Roderick,' zei John.

'Rot toch op,' zei Roderick.

'Wanneer heb jij mijn zoon voor het laatst gezien?'

'Ik heb hem nog nooit gezien. En ik ga hem waarschijnlijk nooit meer zien ook.'

'Nou, Roderick!' riep de moeder. 'Dit kun je niet maken!'
Martje was naast John komen staan, aan de veilige kant. Ze móést nu iets doen.

'Je liegt,' zei ze zo kalm mogelijk tegen Roderick. 'Je hebt hem bij het zwembad gezien en bij het strand. Je hebt met hem gepraat.'

'O.' Roderick grijnsde naar Bart-Jan, die naast hem was komen staan. 'Die smurf.'

'Wanneer heb je hem voor het laatst gezien?' vroeg John.

'Zo is het genoeg,' zei de vader.

Hij ging nu recht voor John staan, met maar een paar centimeter ertussen.

'John?' zei Iris.

Ze was zeker ook bang dat het vechten zou worden.

'Wat is hier aan de hand?'

De veiligheidsman in het groene uniform stond ineens naast het groepje. Iedereen keek zijn kant op. Hij deed zijn zonnebril af.

'Deze mensen vallen mijn zoons lastig.'

Roos had de tranen in haar ogen staan, zag Martje. Ze beet zo hard op haar onderlip dat het bloed er elk moment uit kon gaan spuiten.

Maar John had dat allemaal niet in de gaten.

'We denken dat zij Jim het laatst gezien hebben,' zei hij.

De man wendde zich tot de jongens.

'Is dat zo?'

Hij keek ze streng aan.

'Waarom zouden we met ze praten?' zei Bart-Jan op stoere, onverschillige toon.

'Is dat zo?' vroeg de man nog eens, alsof hij niets gehoord had.

'Waarom zouden we met u praten? Bent u van de politie?' vroeg Roderick.

'Nee,' zei de man rustig. 'Dat niet. Maar waarom zou je geen antwoord geven op een normale vraag? Als ik geen antwoord krijg, moet ik jullie verzoeken het strand te verlaten. Dat is mijn bevoegdheid.' Hij zette zijn bril weer op.

'We waren toch al op weg. Kom, jongens!'

'Goed zo,' zei de beveiligingsman.

En daar gingen ze. Eerst de vader, toen de moeder. En na iets te lang treuzelen ook de broers.

John, Iris en Martje slenterden terug naar de bar.

'Daar zijn we ook niks mee opgeschoten,' zuchtte Iris.

'Wel wat,' zei John. 'Die jongens draaiden om het antwoord heen. Dat doe je alleen als je wat te verbergen hebt. Ik denk dat Martje wel eens gelijk zou kunnen hebben.'

'Mag ik even weg?' vroeg Martje.

Ze had een idee.

'Waarheen?' vroeg Iris bezorgd.

'Naar de Dolphin Academy.'

'Nu?' zei Iris.

'Mam,' zei Martje. 'Er zijn daar allemaal mensen van Dolphin Academy die ik ken. Wat kan er nou gebeuren.'

'Wat ga je doen dan?' vroeg Iris.

Martje liep al weg.

'Vertel ik nog wel,' riep ze over haar schouder. 'Het kan wel even duren... als het goed is.'

'Maar Martje!' riep Iris.

Ze deed of ze het niet hoorde en liep door.

Toen ze op het terrein van de duikschool was, begon ze te rennen. Maar al snel hield ze er weer mee op. Ze kreeg het er veel te heet van.

In het gebouw van Dolphin Academy liep ze meteen naar de balie.

'Is Zinzi er?'

'Je hebt geen les, hoor,' zei het meisje vriendelijk.

'Maar is ze er? Ik moet wat overleggen.'

Het meisje ging bellen en overlegde met iemand waarvan Martje hoopte dat het Zinzi was.

'Hoe heet je?' vroeg ze, met haar hand over de telefoonhoorn.

'Martje,' zei Martje.

'Martje,' zei de vrouw in de hoorn.

Dan had ze haar hand er ook niet overheen hoeven houden.

Ze hing op.

'Zinzi komt je zo halen,' zei ze. 'Even geduld.'

Martje bekeek de kleren die te koop hingen. Ze waren allemaal versierd met het logo met de springende dolfijntjes.

Ze zou wel een kort broekje willen hebben. Maar ze had er al een gekregen met Curaçao op de kont. Ze kon wel raden wat Iris zou zeggen als ze om dit broekje zou vragen.

Na een paar minuten kwam Zinzi aanlopen.

'Hé Martje! Wat is er?'

'Ik wil wat overleggen,' zei Martje.

'We kunnen wel in het lokaaltje gaan zitten,' zei Zinzi. 'Kom mee.'

'Gaat de duiktrip nog door?' vroeg Martje toen ze zaten.

'Ja. Die is al weg.'

Ze keek op haar horloge. 'Of gaat nu weg.'

'Shit!' riep Martje. 'Sorry! Maar ik wil graag mee!'

'Dat gaat niet,' zei Zinzi.

'Maar ik wil Jim zoeken!' zei Martje.

Ze werd rood en moest haar tranen terugdringen. Had ze maar doorgerend hierheen! Wat een soepkip kon ze toch zijn.

'Daar is die trip niet voor,' zei Zinzi.

'Dat weet ik ook wel,' zei Martje. 'Maar als hij toch hier in de buurt vaart...'

'Hoe wil je dan zoeken?'

'Met een verrekijker,' verzon Martje.

Het was vast slimmer om niet te zeggen wat ze echt bedacht had.

Zinzi zei even niks.

Martje staarde naar het grote waterdichte horloge om Zinzi's pols.

'Loop maar mee,' zei Zinzi na een eeuwigheid. 'Misschien wil Bob wel wat terug doen. Je hebt ons goed geholpen met die sonar.'

Martje rende voorop, Zinzi kwam er op een sukkeldrafje achteraan.

Maar toen ze op de kade aankwamen, was het bootje met mannen en vrouwen in duikpakken net vertrokken.

'Hey!' riep Zinzi met haar handen om haar mond. 'Stop!'

Iemand in wetsuit maakte zich los van de reling en wandelde naar Bob, die achter het roer stond.

Even was Martje bang dat de boot weg zou spuiten, Martje met plan en al achterlatend.

Maar het bootje keerde om en even later klauterde ze aan boord. Zinzi volgde haar, zij moest ook mee van Bob.

Op volle zee

‘Ik hoop maar dat je een goede reden hebt om ons om te laten keren,’ zei Bob toen ze aan boord stapten. Hij liet Martjes hand los nadat hij haar aan boord had geholpen.

Ze had haar zwemvliezen in haar hand en was blij dat Bob een hand had uitgestoken.

‘Mijn stiefbroertje is nog steeds verdwenen,’ zei Martje. ‘Ik dacht, misschien kan ik vanaf de boot kijken of ik hem ergens zie.’

‘Zolang houdt toch niemand het uit zwemmend?’ vroeg Bob.

Hij keek bezorgd.

‘Waarschijnlijk heeft hij een klein opblaasbootje,’ zei Martje.

Bob zei er niets meer over. Haastig stuurde hij de kleine motorboot naar de opening in de baai.

Martje keek om zich heen. Er waren vier toeristen aan boord en één instructeur. Die begon een uitleg te geven in het Engels.

Ze zag de andere instructeur de baai al uit zwemmen. Om hem heen cirkelden een paar dolfijnen. Ze vertrouwden de instructeur; uit zichzelf zouden ze niet snel hun eigen baai verlaten. Anders dan de spinnerdolfijnen, die je soms in de verte zag springen, bleven kustwater-tuimelaars het liefst dicht bij huis.

'Zou Bob een verrekijker hebben?' vroeg Martje aan Zinzi.

'Vraag maar,' zei Zinzi. 'Ik denk het wel.'

Zinzi had gelijk. Hij had een grote zwarte verrekijker die met rubber was bekleed om hem te beschermen tegen water.

Martje speurde de zee in de verte af. Af en toe moest ze ophouden, want ze werd misselijk van de bewegingen van de boot.

Ze probeerde te ontdekken hoe de stroming stond, maar dat was niet te zien. Bob wilde ze niet nog eens storen. Anders zou hij zich aan haar gaan ergeren.

Spinner-dolfijnen sprongen in de verte op en draaiden om hun as. Martje kon ze van heel dichtbij bekijken door de kijker.

Ze waren donkerder en kleiner dan de tuimelaars, de dolfijnen die ze nu zo goed kende, en hadden niet de leuke glimlach. Maar ze zagen er vrolijk genoeg uit, als ze zo hoog mogelijk opsprongen en ronddraaiden.

Martje dacht aan Copan, die drie keer groter was, maar het ook had geleerd. Zou hij het nagedaan hebben van deze spinners?

Maar ze was niet op zoek naar dolfijnen.

Snel draaide ze verder, turend en speurend. De schitteringen van de zon op de toppen van de golven deden pijn aan haar ogen, maar ze besloot er niet mee te zitten.

'Zie je al wat?' vroeg Zinzi.

Ze had een hand op Martjes schouder gelegd. Die liet haar verrekijker zakken.

'Nee.'

'Jammer,' zei Zinzi.

Ineens stonden de tranen in Martjes ogen. Ze slikte, en nog eens.

‘Ik wil Jim niet kwijt,’ zei ze.

‘Natuurlijk niet,’ zei Zinzi. ‘Je mag de moed niet verliezen.’

‘Hij is al één avond, één nacht en deze dag weg,’ zei Martje.

‘Ik weet het,’ zei Zinzi. ‘Maar denk aan jezelf. Zou jij zonder eten en drinken een nacht en een dag overleven?’

‘Dat denk ik wel,’ zei Martje. ‘Maar overdag brandt de zon en ’s nachts is het koud.’

Ineens had ze zin om het keihard op een janken te zetten, maar ze deed het niet met al die mensen aan boord.

‘Ik snap niet waarom de politie niet veel meer doet,’ zei ze daarom maar.

‘De meeste kinderen die zoek zijn, komen in de eerste 24 uur vanzelf terug,’ legde Zinzi uit. ‘Tot die tijd kijkt de politie wel overal rond, maar wordt het publiek nog niet ingeschakeld. Of het kind moet onder verdachte omstandigheden verdwenen zijn.’

‘Ook stom,’ zei Martje.

‘Anders komt het te vaak voor, denk ik,’ zei Zinzi. ‘Toeristen raken nou eenmaal gemakkelijk de weg kwijt. Na een dag gaan ze wel op grote schaal zoeken. Dat dat marineschip ging helpen, kan alleen maar betekenen dat ze even niks zinnigs te doen hadden. Dat heb je soms, op zo’n schip. Als er niks te doen is, slaat de verveling snel toe.’

In de verte lag het grijze schip. Zinzi en Martje staarden ernaar.

Het geluid van de motor van hun eigen boot veranderde, werd rustiger. Bob legde de boot stil. De instructeur deed zijn zwemvliezen aan.

‘Ik zwem even mee,’ zei Zinzi.

De toeristen volgden het voorbeeld van de instructeur en

waren onhandig aan het doen met duikflessen en zwemvliezen.

'Mag ik ook het water in?' vroeg Martje.

Zinzi gaf geen antwoord.

Please, dacht Martje, laat ze ja zeggen.

'Ik weet niet of die toeristen... Die hebben ervoor betaald natuurlijk.'

'Die kunnen duiken, ik alleen snorkelen,' zei Martje. 'En daarbij, ik heb toch "junior-trainer" op mijn wetsuit staan? Ik hoor er gewoon bij. Weten die mensen veel.'

Om de een of andere reden moest Zinzi daarom lachen.

'Ik overleg wel even met Bob,' zei ze.

Ze liep achteruit naar hem toe omdat ze haar zwemvliezen al aan had.

Martje volgde haar. Het móest lukken.

'Ik vind het prima, als ze in de buurt van de boot blijft. De stroming is hier niet al te sterk, maar hij ís er wel,' hoorde ze Bob zeggen.

Ze kon hem wel om de hals vliegen.

'Bedankt,' zei ze in plaats daarvan.

Snel deed ze haar duikbril met snorkel op, ging aan de leuningen van het trappetje hangen en liet zich achterover van de boot vallen.

Het water was koud. Ze ademde even door haar neus in, zodat de duikbril goed vacuüm werd gezogen.

Ze keek onder water, recht in de ogen van Teresa. Vlak achter Teresa zwom Kayena.

Copan en Chabelita waren ook mee. Ze bleven steeds in de buurt van de instructeur die met hen vanaf de kust was komen zwemmen.

Hij moest aardig uitgeput zijn; ze waren een heel eind uit de kust.

In een wolk van bellen dook de instructeur naar beneden, gevolgd door de eerste van de toeristen. Onmiddellijk reageerden Teresa en Kayena. Snel doken ze ook, veel sneller en behendiger. Het zag er eerlijk gezegd een stuk beter uit dan wat de mensen deden.

Zinzi kwam voor haar zwemmen en wees omhoog, om duidelijk te maken dat ze wat wilde zeggen.

Martje tilde haar hoofd op en zag dat Zinzi hetzelfde deed. Ze haalde de snorkel uit haar mond.

'Zie je hoe dicht Kayena bij Teresa blijft? Ze is vandaag voor het eerst mee.'

'O?' vroeg Martje verbaasd. 'Echt? Is dit wel een goede dag? Ik bedoel, met die sonar...'

'Bob beslist al die dingen,' zei Zinzi. 'Ze wilden allebei graag mee en Kayena is er wel aan toe. Ik denk dat ze die toestand met die sonar allang vergeten zijn. En anders is dit misschien wel een goede afleiding.'

Ze stak haar hand op en dook weer onder.

Martje liet zich drijven, haar handen naar achter langs haar lichaam. Ze kon zich zo helemaal ontspannen, al bleef de vraag waar Jim was natuurlijk door haar hoofd spelen.

Traag trappelde ze wat met haar zwemvliezen. Ze genoot van de felgekleurde vissen die onder haar door zwommen. Sommige waren zo kleurig, dat het leek of er een lampje onder hun huid was aangebracht.

Anderen zagen er minder opvallend uit. De meeste bewogen zich in scholen.

Martje verwonderde zich hoe een school vissen tegelijk

de bochten maakte, alsof ze samen gebruikmaakten van één stel hersens.

Het was mooi onder water. Martje werd er rustig van. Ze moest af en toe wel kijken en terugzwemmen om in de buurt van de boot te blijven, die voor anker lag.

Verrassend hoe sterk de stroming was. Je voelde er niks van, maar als je even niet veel bewoog, dreef je zo tientallen meters weg.

Ze schrok toen haar weer te binnen schoot dat ze hier was om Jim te zoeken. Ze had een vaag plan in haar hoofd, of meer een gedachte: dat de dolfijnen wel eens behulpzaam zouden kunnen zijn als Jim ergens ronddobberde.

Ze wist dat ze maar een kleine kans had. Dolfijnen waren geen politiehonden, die je met een geur van Jim op een spoor kon zetten. Dolfijnen waren... gewoon zichzelf.

Ineens zwom Kayena bij haar.

Martje glimlachte; de jonge dolfijn had het zo te zien naar haar zin. Maar iets klopte er niet en het koste Martje even om te verzinnen wat.

Opeens begreep ze het.

Teresa!

Waar was Teresa?

Een stipje

Martje tilde haar hoofd uit het water en schudde een regen van zout water uit haar staart. Ze zocht Zinzi. Die ontdekte ze aan boord van het bootje, waar ze een zuurstoffles had gevonden.

Even was Martje jaloers. Het moest fantastisch zijn om net zo diep te kunnen duiken als de dolfijnen. Maar lang duurde de jaloezie niet. Haar tijd zou nog wel komen en ze was blij voor Zinzi.

Snel keek ze weer onder water. Waarom was Teresa niet bij Kayena? Waarom was ze zo ver bij de instructeurs en de toeristen vandaan gezwommen?

Martje overwoog wat ze zou doen. Aan de ene kant was het verstandig om dicht bij de boot en de duikers te blijven. Aan de andere kant was ze nieuwsgierig waarom Teresa Kayena alleen liet, op haar eerste tripje buiten de baai.

Je kon het natuurlijk ook omdraaien. Waarom was Kayena haar moeder niet gevolgd? Durfde ze niet?

Martje nam een besluit. Ze wachtte tot ze naast Kayena in het water lag en voor de tweede keer die dag zwom ze voorop. Dit keer was ze op zoek naar Teresa. Ze keek even om; Kayena volgde haar braaf.

Het duurde niet lang of ze vond Teresa. Moeder en dochter lagen weer naast elkaar in het water.

Verbeeldde Martje het zich, of leek Teresa opgelucht dat Martje erbij was? Alsof zij wat kon doen voor de dolfijnen! Ze had juist haar laatste hoop om Jim te vinden op hen gevestigd.

Moest zij nu de leiding nemen? Ze had veel geleerd deze week. Maar een ervaren instructrice, die wist wat ze moest doen in deze situatie, dat was ze niet.

Ze kwam even boven water en zocht Zinzi. Maar het bootje was verlaten. Zinzi was afgezakt naar diepten die Martje nooit zou kunnen bereiken zonder zuurstof. Ze stond er alleen voor. Ze liet haar hoofd weer onder water zakken.

Teresa probeerde duidelijk weg te zwemmen. Ze kwam wel steeds terug, durfde misschien niet zonder haar. Martje nam een besluit. Als de dolfijnen besloten hadden haar te vertrouwen, dan moest ze het er maar op wagen.

Ze keek om zich heen. Waar was Zinzi? Zou die zich geen zorgen om haar maken? Maar wat kon er nou gebeuren? Zo ver waren ze nou ook weer niet uit de buurt. En de dolfijnen waren er ook nog... Zo alleen was ze niet!

Ze zwom achter Teresa en Kayena aan.

Nu ze achter hen was, kon ze met armen en zwemvliezen zwemmen. Maar erg hard ging het niet en al snel was ze doodop.

Ze hield heel even op met zwemmen. Haar duikbril was beslagen en ze trok hem op haar voorhoofd. Er stond een stroming, die trok haar de goede kant op. Maar dat ging niet erg hard.

Even vroeg ze zich af of Teresa niet gewoon de stroming volgde. Maar dat was natuurlijk onzin. Dolfijnen konden met 40 kilometer per uur door het water schieten, die hadden echt geen last van wat stroming.

Teresa leek ongeduldig. Met Kayena als een schaduw naast zich zwom ze rondjes tot Martje bij hen in de buurt was. Toen schoot ze weer weg. Alsof ze verwachtte dat Martje haar nu wel bijhield. Martje deed haar best, maar harder ging het echt niet.

Ineens kreeg Martje een idee. Als Teresa zo'n haast had, moest ze maar laten zien waarom dan. Waarom zou ze niet een lift vragen? Zodra de dolfijn weer in de buurt was, spatterde ze op het water, het gebaar om de aandacht van Teresa te trekken. Die kwam onmiddellijk naar haar toe en bleef vlak voor haar zwemmen.

Brave dolfijn, dacht Martje en met twee vlakke handen omhoog maakte ze Teresa duidelijk dat er een opdracht ging komen. Toen zwom ze met twee klappen van haar zwemvliezen iets vooruit, en gaf het gebaar voor de *foot push*.

Ze strekte haar lichaam en hield elke spier gespannen. Ze kon alleen maar hopen dat Teresa zou begrijpen wat ze van plan was.

En ja hoor. Onder haar voet voelde Martje de harde snuit van de dolfijn. Ze schoot vooruit, haar lichaam half uit het water. Zoute druppels spatten in haar gezicht, maar het was heerlijk.

Teresa had kennelijk besloten dat er haast geboden was, want ze schoten keihard vooruit.

Martje had de neiging een vreugdekreet uit te stoten, hoeveel zorgen ze zich ook maakte. Dit was beter dan ze ooit in een attractiepark had meegemaakt of zou meemaken.

Maar Kayena gooide roet in het eten. Ze kruiste voor langs en Teresa schrok. Ze lag van het ene op het andere moment stil en Martje ging kopje-onder. Vol bewondering keek Martje naar Kayena. Die kleine donder had haar moeder bij kunnen houden!

Ze keek om zich heen. Ze waren een stuk verder. Als de dolfijnen haar nu in de steek zouden laten, had ze wel een klein probleem. De kust was dichtbij, maar zag er nogal onbegaanbaar uit.

Teresa cirkelde onrustig om haar heen. Martje zette haar zorgen van zich af. Ze moest iets anders proberen. Ze legde de twee dieren stil; gelukkig luisterde Kayena ook. Toen ging ze voor hen liggen in het water, met haar rug naar de dolfijnen toe. Ze spreidde haar armen, legde ze op het water en spetterde. Niet alleen Teresa, ook Kayena begreep wat ze verwachtte. Ze gleden langs haar en Martje greep de rugvinnen vast.

Opnieuw schoot ze door het water, nu voortgetrokken door twee dolfijnen in plaats van vooruitgeduwd door één. Het leek alleen maar harder te gaan.

Maar haar hart stond stil. Want in de seconde voor ze de vinnen had gepakt, had ze iets gezien.

Niet meer dan een stipje. Maar ineens was ze vervuld van hoop.

Was dat stipje datgene waar Teresa zo graag heen wilde? Kreeg ze gelijk? Wisten de dolfijnen waar ze naar op zoek was?

Ze probeerde te kijken, maar onmiddellijk spatte zout water in haar ogen en ze kneep ze gauw weer dicht.

Dat stipje was Jim.

Ze durfde het bijna niet te geloven, toch wist ze het zeker.

Hoe hard de dolfijnen ook zwommen, het duurde Martje veel te lang. Ze wilde haar ogen open kunnen doen, kijken en Jim zien.

Ergens in haar lichaam begon er iets te zingen, te juichen.
Niet doen, dacht Martje, nog niet.
Heel even deed ze haar ogen open. Ze zag alleen maar opspattend water. Het lichtte fel op in de zon, die al een eind aan het zakken was. Ze knipperde een druppel gemeen bijtend zout water weg.
Ineens lagen de dolfijnen stil. Martje liet de rugvinnen snel los en opende haar ogen.
Jims zwembroek was het eerste wat ze herkende.

Jim

Zijn hoofd kon ze niet zien, dat lag onnatuurlijk ver naar achteren, zijn kont in het opblaasbootje, zijn benen buitenboord. Het bootje zat met Jim en al klem tussen twee rotsen.

Was hij dood? Hij bewoog in ieder geval niet.

Snel zwom Martje in de richting van zijn hoofd. Ze voelde of ze kon staan, maar dat ging niet. Jims ogen waren dicht.

Hoe kon ze erachter komen of hij leefde? Zijn pols! Daar kon ze aan voelen of zijn hart klopte. Ze pakte zijn arm.

'Au!' hoorde ze en ze schrok zoals ze nog nooit geschrokken was. Pas een seconde later besefte wat dit betekende: Jim leefde echt!

En Teresa en Kayena hadden hem gevonden.

'Kanonnen,' zei Jim. 'Au, Au, Au.'

Hij had zijn hoofd, dat op de rotsen rustte, even opgetild en hield de arm vast die Martje had gepakt. Toen zakte zijn hoofd weer naar achteren.

'Jim!' riep Martje.

Haar stem klonk merkwaardig schril.

Jim gaf geen antwoord, geen beweging, niks.

'Jim!'

Ze tikte hem tegen zijn wangen, maar Jims ogen bleven gesloten. Hij was buiten bewustzijn.

Ze moest hulp halen. De boot. Jim had hier zo te zien al zo

lang gelegen, daar konden nog wel twee minuten bij.

Ze zwom een paar meter de zee in en spatte met gesprei-de armen in het water. Ze was vergeten Teresa en Kayena de opdracht te geven, maar ze begrepen toch meteen wat de bedoeling was. Weg spoten ze, met Martje aan hun rugvinnen.

In minder dan een minuut waren ze bij de boot. Martje klom achterstevoren het trapje op, omdat ze zo geen last had van haar zwemvliezen.

De boot was leeg en verlaten.

Hoe kon ze de aandacht trekken van de duikers beneden?

Bijna in paniek keek ze om zich heen. Hoe lang kon zo'n duik duren?

De ankerketting!

Ze liet zich in het water zakken en zwom naar de ankerketting. Ze begon er als een wilde aan te trekken, heen en weer, heen en weer.

Ze had geen flauw idee of je daar beneden iets van zou kunnen zien. En of de duikers nog wel in de buurt van de boot waren.

Maar ze bleef de ketting heen en weer trekken, met steeds grotere slagen. Een beter idee had ze niet.

Het duurde lang en Martje dacht aan Jim, die buiten westen lag. Waarom had ze hem niet op de rotsen getrokken? Misschien was hij wel onderkoeld!

Plotseling dook Bob naast haar op. Proestend en snuivend haalde hij het mondstuk uit zijn mond. Eén voor één plopten de anderen boven water. De truc met het anker had dus gewerkt!

'Wat is er?' vroeg Bob.

'We hebben Jim gevonden,' zei Martje.

En plotseling voelde ze zich heel rustig. Nu zou alles goed komen.

'Hij ligt daar met zijn hoofd op die rotsen. Bewusteloos.'

'We?' vroeg Bob. 'Wie, we?'

'Nou ja, zij,' antwoordde Martje, terwijl ze de dolfijnen aanwees. 'Teresa eigenlijk.'

Bob floot door zijn tanden. Onmiddellijk reageerden de twee dolfijnen met een eigen fluitje.

'Echolocatie,' zei Bob. 'Het blijven wonderlijke dieren.'

Martje liet haar hoofd in haar handen vallen. Ze probeerde

te voorkomen dat haar schouders begonnen te schokken. Maar toen ze de arm van Zinzi om zich heen voelde, huilde ze heel even harder dan ze ooit gehuild had.

Binnen een minuut was de huilbui over. Ze moest aan boord klimmen, Bob de weg wijzen, vertellen hoe het met Jim was.

Hij had het uitgeschreeuwd van de pijn toen ze aan zijn arm had gezeten.

Bob knikte.

'Ik denk dat hij iets gebroken heeft. Of gekneusd. Anders was hij echt wel terug gezwommen. Zo ver is hij niet van de kust. Dan klauter je aan land en loop je net zo lang langs het water tot je iets bekends tegenkomt. Je kunt haast niet verdwalen hier. Maar hij is niet gaan zwemmen.'

Martje wilde dat hij wat meer gas gaf. Misschien moest hij voorzichtig doen voor de dolfijnen. Die sprongen onophoudelijk de lucht in, alsof ze zich net zo opgelucht voelden als Martje.

Zinzi stond in het Engels de toeristen het verhaal te vertellen. Een man met een iets te dikke buik stak een duim naar haar op.

Ze lachte terug. Haar ogen prikten nog steeds.

Eindelijk waren ze er. Bob legde de boot stil en kwam achter Martje aan, het water in. Zinzi en de andere instructeur volgden. De toeristen hingen over de reling en wezen naar Jim.

'Hij is bewusteloos,' zei Bob.

Martje knikte. Dat had ze hem toch net verteld?

Bob schoof een hand onder Jims hoofd. Zinzi ondersteunde zijn onderrug. Martje zwom naar zijn benen en met zijn drieën vervoerden ze hem voorzichtig naar de boot.

Daar was de andere instructeur al aan boord aan het klimmen en even later werd Jim onder zijn armen aan boord getrokken. De instructeur ging op zijn hurken zitten en legde Jims hoofd op zijn bovenbenen.

Toen Martje aan boord was, kwam een toerist al met een flesje sportdrank. Voorzichtig maakte de instructeur Jims lippen nat met de sportdrank.

Jim likte eerst zijn lippen af, knipperde met zijn ogen en besloot ze toen maar dicht te houden. Hij kreunde iets wat nog het meest op 'au' leek.

'Kun je me horen, Jim?' vroeg Martje, die op haar knieën naast zijn hoofd was gaan zitten.

Jim knikte.

'Kun je een slokje nemen?' vroeg de instructeur.

Weer een knikje.

Jim kwam half overeind, slikte moeilijk, nam toen nog een slok en dronk ten slotte het hele flesje leeg. Daarna zakte hij weer neer.

Al die tijd had hij zijn ogen dichtgehouden. Zijn oogleden waren rood en opgezwollen.

Zout en zon, dacht Martje.

'Ik heb mijn arm gebroken of zo,' zei Jim.

'We varen rechtstreeks naar Willemstad,' zei de instructeur. 'Bob heeft al een ambulance opgeroepen met de boordradio.'

Martje was verbaasd. Ze geloofde de instructeur wel, maar het was compleet langs haar heen gegaan.

Ze keek naar Jim. Die deed even zijn ogen open, zag haar, en glimlachte flauwtjes. Ze glimlachte terug, heel wat minder flauwtjes. Het voelde meer als van oor tot oor.

De show

Martje zat in het klasje en voor de allereerste keer lette ze niet op. Ze dacht aan Jim. Hij was naar het ziekenhuis gebracht en daar blijven slapen. Ze hadden hem 's ochtends vroeg opgehaald, zodat Martje erbij kon zijn en toch naar de laatste cursusdag kon.

Dit was de dag met de grote show, waarin de junior-trainers hun diploma zouden krijgen.

Jim zat op de tribune. Zijn schouder was gekneusd en zijn arm hing in een mitella. Maar hij had niks gebroken.

Ze hadden hem vloeibaar voedsel willen geven. Hij had alleen zo verlekkerd gekeken naar het eten van de andere mensen op zijn zaal, dat ze hem toch maar een blaadje gebracht hadden.

Volgens John had hij prima thuis kunnen slapen, maar de dokter had hem niet laten gaan.

Martje dacht terug aan het gezicht van Iris, toen ze de kamer waar Jim lag binnenstormde en hem in levende lijve zag. Ze dacht aan de ogen van John, waar een traan in was opgeweld. Dat had ze nooit eerder gezien.

Ze zag het vrolijke gezicht van de jonge zuster weer voor zich. Die had haar en Jim snoep toegestopt nadat alle verhalen waren uitgewisseld.

'Hoe kwam je daar nou terecht?' had Martje aan Jim gevraagd.

'Die jongens zeiden dat het leuk was om buiten de lagune te gaan varen met dat bootje,' vertelde Jim. 'Ze zouden meezwemmen. Maar ineens waren ze weg. Ik zag ze het strand op lopen. Ik wilde achter ze aan komen, maar toen ik me uit het bootje liet zakken, waaide het ineens weg. Ik riep naar ze, maar dat hoorden ze niet. Toen ben ik erachteraan gezwommen. Steeds als ik er bijna was, waaide het weer verder.'

'Daarom zie je hier ook geen andere opblaasdingen,' had Martje gezegd. 'Het is gevaarlijk.'

'Ik zwom tegen de stroom in. Daarom kwam ik niet dichterbij. Ik kreeg steken in mijn zij. Maar ik durfde ook niet tegen die jongens te zeggen dat ik hun bootje had laten wegwaaien.'

John had een andere theorie.

'Ik denk dat je juist met de stroom meezwom. Maar het bootje ging nog veel harder, geholpen door de wind. Die staat dezelfde kant op.'

'Ik wilde het eindelijk opgeven,' was Jim verdergegaan. 'Ik zag ook wel dat ik steeds verder van het strand kwam. En ik moest nog terug... Maar ineens greep een windvlaag dat stomme ding, en lag het vlak bij me. Ik kon het te pakken krijgen, en ik klom erop om even uit te rusten. Ik heb zeker mijn ogen dichtgedaan... Toen ik ze weer open deed, lag ik tegen de rotsen.'

Jim trok een grimas.

'Mijn arm deed zo'n verschrikkelijke pijn dat ik me niet meer kon bewegen. Ik heb geschreeuwd, maar niemand kon me horen. Gelukkig lag mijn hoofd op die rotsen. Ik heb nog geslapen ook!'

'Was je niet bang? Dat je niet gevonden zou worden?'

Martje rilde bij de gedachte dat ze daar zelf zo zou liggen.
'Superbang,' had Jim gezegd en iedereen had moeten lachen om het gezicht dat hij erbij trok.

Martje staarde naar de dolfijnenposters aan de muur van het lokaaltje. Ze was blij dat Jim behalve een gekneusde schouder niks ernstigs had. Hij was natuurlijk wel behoorlijk verbrand door zo'n dag in de felle zon. Maar het had veel slechter kunnen aflopen. Bijvoorbeeld als hij helemaal in het water had gelegen in plaats van alleen met zijn voeten en onderbenen. Of als ze hem niet gevonden hadden.
'Ben je er wel bij, Martje?' vroeg Zinzi.
Ze bloosde.
'Sorry. Ik zat aan Jim te denken.'
'Ik ben zo blij voor je dat hij terug is,' zei Zinzi. 'Nu kun je tenminste volop van de show genieten straks. Het hele eiland komt. Iedereen wil de dolfijnen zien die het vermiste jongetje hebben gevonden.'
Martje schrok.
'Komen die Roderick en Bart-Jan ook?'
Zinzi grijnsde.
'Ik denk niet dat die hun gezicht nog durven laten zien. Het zijn de slechtst opgevoede jongens die ik ooit heb meegemaakt. Wie doet dat nou: een jongetje wegduwen op een bootje en hem dan niet helpen als het wegwaait.'
'Ik vind het liegen het ergst,' zei Martje. 'Aan de ene kant wist ik steeds al dat ze maar wat zeiden. Aan de andere kant kon ik niet geloven dat ze keihard logen, terwijl wij Jim kwijt waren.'
'Als ze hadden gezegd wat er was gebeurd, was de poli-

tie met een rubberbootje gaan kijken en had hij niet de hele nacht liggen uitdrogen daar,' zei Zinzi.

De les zat erop. Ze gingen de koelboxen met vis vullen en Martje smokkelde meer dan de bedoeling was in de box van Kayena en Teresa. Als er twee dolfijnen iets extra's verdiend hadden, waren zij het wel.

Toen ze klaar waren liepen ze naar het drijvende platform voor de tribune. Ze gingen erop zitten. Martje had het warm in haar donkere wetsuit. De eerste toeristen kwamen al kijken en vijf minuten voor de show zou beginnen, zat het stampvol.

Martje kende het verloop van de show inmiddels. Ze wist de opbouw, en toch was ze een beetje zenuwachtig. Er zaten veel mensen te kijken en al kon ze de verschillende gebaren dromen, ze moest ze niet door elkaar halen.

Maar Zinzi, die zoals gewoonlijk achter de microfoon zat, hield zich dit keer niet aan de gebruikelijke volgorde.

'Voor ik begin,' schalde de stem van Zinzi door de geluidsinstallatie, 'graag eerst uw aandacht voor het volgende. Gisteren heeft een bijzonder dapper meisje het leven gered van haar stiefbroertje, in samenwerking met twee van onze dolfijnen. Zij is hier, u ziet haar links op het blauwe platform.'

Geschrokken keek Martje naar de tribune. Een applaus, dat ergens bovenaan begon, rolde de tribune af. Verlegen zwaaide ze naar het publiek. In een ooghoek zag ze hoe Copan een showsprong weggaf. Ze lachte. Copan moest weer indruk maken, de uitslover.

'Straks krijgt dit meisje, Martje, haar diploma als juniortrainer van de Dolphin Academy. We zijn trots op haar, maar haar ouders, haar zusje en haar stiefbroertje zijn dat natuurlijk helemaal.

We willen het daarom niet alleen bij deze lovende woorden laten. Namens Bob, mijn baas, mag ik haar een stage van drie weken aanbieden in de zomervakantie.'

Martje hield haar adem in. Hoorde ze dat goed? Ze keek naar Zinzi, maar die praatte gewoon verder.

'Ze heeft laten zien heel goed met de dolfijnen overweg te kunnen. En om haar niet alleen te laten gaan, mag ze iemand meenemen. Ook hebben we een dubbele kamer weten los te peuteren in het Lion's Dive Hotel. Drie weken, helemaal gratis.' Opnieuw klaterde het applaus over het water.

Martjes gedachten tolden door elkaar heen. Ze zocht de blik van Iris, maar zag eerst Roos, die met een brede grijns twee duimen naar haar opstak.

Jim probeerde dat ook, wat niet goed ging met één arm in een mitella.

Toen ving ze Iris' blik, die een kusje naar haar blies en daarna John een echte kus gaf.

De show begon. Martje ging met haar gezicht naar de dolfijnen zitten. Ze moest zich concentreren, haar hoofd erbij houden. Ze kon nu natuurlijk al helemaal niet afgaan. Iedereen zat waarschijnlijk extra op haar te letten. Als toekomstig stagiair!

De show liep op rolletjes. Het hoogtepunt was een *foot push*. Martje mocht als laatste. Voor de derde keer kreeg ze een groot applaus.

Ze was klaar, had geen fout gemaakt. Het publiek druppelde weg. Martje kreeg haar diploma, toen alleen de juniordolfijnentrainers en hun familie er nog waren.

'Mam?' zei ze toen ze met zijn allen terug naar huis liepen.

Iris keek haar aan en knikte.

'Verdienen die jongens geen straf eigenlijk?'

'Tja,' zei Iris. 'Je zou zeggen van wel. Maar dat moeten die ouders doen. En die doen dat niet, die zijn te druk met zichzelf bezig. Ze praten recht wat krom is.'

'Dus ze gaan vrijuit?' vroeg Roos.

'Dit soort jongens straft uiteindelijk zichzelf,' zei John.

'Hoe bedoel je?' vroeg Martje.

'Ga maar na,' zei John. 'Hoe kijk jij terug op de laatste dagen?'

'Opluchting,' zei Martje.

Maar er borrelden nog veel meer antwoorden op.

'Trots. Blij met Jim. Blij met Teresa en Kayena. Gewoon blij, denk ik eigenlijk.'

'En wat zouden die jongens voelen?'

Schuldgevoel, dacht Martje. Geen trots, omdat ze gelogen hadden. En blij met de dolfijnen konden ze ook niet zijn.
'Ik begrijp wat je bedoelt,' zei ze.
'Hé,' riep Jim. 'Loop niet zo hard! Ik ben invalide, hoor.'
Ze lachten alle vijf. Roos zette het op een lopen. Martje sprintte erachteraan. Het werd een wedstrijdje en ze keken niet meer om tot ze hijgend tegen de voordeur aan stonden.
'Ik heb gewonnen,' zei Roos.
'Maar ik heb een diploma als dolfijnentrainer,' hijgde Martje. 'En ik mag stage lopen!'

Tips: wat kun je zelf doen als je van dolfijnen houdt?

Er zijn mensen die het zielig vinden dat dolfijnen getraind worden. Dolfijnen zijn wilde dieren en die kun je het beste met rust laten. Daar zit wel wat in natuurlijk.

Maar iedereen die een keer gezwommen heeft met dolfijnen, vergeet nooit meer wat voor bijzondere dieren het zijn. En zij zullen iets willen doen aan de honderdduizenden dolfijnen die elk jaar onnodig sterven. Dat is namelijk pas echt een groot probleem.

Veel dolfijnen komen in de netten terecht van tonijnvissers en overleven dat niet.

Op blikjes tonijn staat het vermeld als het dolfijnvriendelijk gevangen is.

Ook wordt er nog steeds gejaagd op dolfijnen, voor het vlees. Jaarlijks worden daarvoor duizenden dieren gedood, bijvoorbeeld in Japan.

De organisatie Sea Shepherd probeert daar wat aan te doen. Je kunt je ouders vragen of ze lid willen worden, dat kost 30 euro per jaar.

Maar het aller- allerbelangrijkste is iets heel simpels: voorkom zwerfafval. Gooi je afval netjes weg. Dan wordt het verbrand, en de rook wordt gereinigd.

Als je een plastic flesje, een dop, of zelfs maar een kauwgomverpakking weggooit op straat of in de berm, dan vergiftig je uiteindelijk dolfijnen en andere grote zeedieren.

Hoe dat kan?

Eerst waait het afval weg, of het raakt onder de grond. Na een aantal jaar is het in een rivier terechtgekomen of in het grondwater. Van daaruit spoelt het hoe dan ook naar de zee.

Daar valt het na jaren uiteen. De chemische stoffen worden heel langzaam opgegeten door plankton. Plankton bestaat uit de allerkleinste organismen in de zee, die alles opnemen wat in het water zweeft. Vissen eten dat plankton. Dolfijnen en walvissen eten die vissen.

Heel veel chemische stoffen zijn niet verteerbaar. Ze worden opgeslagen in het vetweefsel van de dolfijn. Elk jaar komt er een beetje gif bij, totdat de dolfijn ziek wordt en sterft.

Dus als je van dolfijnen houdt, gooi dan je rotzooi netjes weg. Leg ook uit aan anderen die slordig zijn met afval, hoe dit werkt. Misschien zullen ze vragen: wat maakt dat nou uit?

Daar weet jij nu het antwoord op.